강력한 인하대 자연계 수리논술

기출문제

저자 소개

저자 김근현은 현재 탁트인 교육, 일으킨 바람, 에듀코어 대표이다.
前 메가스터디 온라인에서 대입 논술과 면접, 자기소개서, 학생부종합 등 다양한 동영상 강의를 하였다.
현재는 학습 프로그램 개발 및 연구 활동을 통해 교육의 발전을 고민하고 있다.
홍익대학교에서 전자전기공학부를 졸업하고 동대학원에서 전자공학 석사(반도체 레이저)를 전공하였다. 또한 연세대학교 교육경영최고위자 과정을 마쳤으며 연세대학교 교육대학원에서 평생교육 경영을 공부하고 있다.

강력한 인하대 자연계 논술 기출문제

발　행 | 2023년 09월 11일
개정판 | 2024년 06월 17일
저　자 | 김근현
펴낸이 | 김근현
펴낸곳 | 일으킨 바람
출판사등록 | 2018.11.12.(제2018-000186호)
주　소 | 경기도 고양시 일산서구 하이파크 3로 61 409동 1503호
전　화 | 031-713-7925
이메일 | iIleukinbaram@gmail.com

ISBN | 979-11-93208-66-3

www.iluekinbaram.com

강력한 인하대 자연계 수리논술 기출문제

김근현 지음

차례

머리말

책을 쓰기 위해 책상에 앉으면 아쉬움과 안타까움, 나의 게으름에 늘 한숨을 먼저 쉰다.
왜 지금 쓸까?
왜 지금에서야 이 내용을 쓸까?
왜 지금까지 뭐했니?
스스로 자책을 한다.

또 애절함도 함께 느낀다.
시험이 코앞에서야 급한 마음에 달려오는
수험생들에게 왜 미리 제대로 준비된 걸 챙겨주지 못했을까?
그렇게 하루, 한 달, 일 년 그렇게 몇 해가 지나 이제야 조금 마음의 짐을 내려놓는다.

입에 단내 가득하도록 학생들에게 강의를 했고,
코앞에 다가온 연속된 수험생의 긴장감을 함께하다보면
그렇게 바쁘게 초조하게 지냈던 것 같다.

그렇게 함께했던 시간을 알기에
부족하겠지만
부디 이 책으로 수험생들이 부족한 일부를 채울 수 있고,
한 걸음이라도 희망하는 꿈을 향해 다갈 수 있길 간절히 바래 본다.

김 근 현

Ⅰ. 인하대학교 논술 전형 분석

1. 논술 전형 분석

1) 전형 요소별 반영 비율

구분		논술	학생부	총 비율
일괄합산	반영비율(%)	70	30	100%
	최고점 / 최저점	700점/250점	300점/100점	1000점

2) 학생부교과 반영방법

계열	반영교과	반영방법	비고
자연	국어, 영어, 수학, 과학	석차등급의 환산점수를 산출하여 반영	학년별, 과목별 가중치 없음 전 학년 100%

3) 학생부교과 등급별 환산점수

전형명		등급								
		1	2	3	4	5	6	7	8	9
논술	논술우수자	10	9.6	9.5	9.5	9.4	9.4	7.2	3.6	0.0

4) 수능 최저학력 기준

· **없음 (단 의예과는 적용)**

5) 논술 전형결과

(1) 2023학년도 (논술전형) 결과

모집단위	모집인원(명)	경쟁률	실질 경쟁률	최초합격자 등록률	추가합격자 예비번호	내신등급		논술점수
						평균	최저	평균
전기공학과	14	25.7	18.1	78.6%	2	4.32	5.78	63.08
전자공학과	15	39.5	23.9	80.0%	3	3.93	5.06	73.80
정보통신공학과	18	29.2	21.8	66.7%	7	4.68	6.95	66.00
간호학과(자연)	12	46.3	31.3	50.0%	8	4.38	6.98	62.42
인공지능공학과	5	25.2	16.2	60.0%	2	3.95	4.64	65.40
데이터사이언스학과	8	23.4	17.4	75.0%	3	4.64	6.04	59.88
스마트모빌리티공학과	5	19.6	13.2	60.0%	2	4.54	5.80	66.50
컴퓨터공학과	25	44.8	26.4	64.0%	11	4.25	6.22	70.96
기계공학과	28	29.0	20.4	67.9%	9	3.94	5.23	68.29
항공우주공학과	11	26.7	18.6	63.6%	4	4.09	5.24	66.23
조선해양공학과	10	18.5	12.5	60.0%	5	4.42	6.11	52.05
산업경영공학과	9	19.7	13.6	66.7%	3	3.90	4.74	67.83
화학공학과	20	27.4	18.8	70.0%	10	3.89	5.21	65.28
생명공학과	8	43.8	24.8	87.5%	1	4.98	5.95	61.31
고분자공학과	4	19.0	14.0	75.0%	1	4.74	5.98	60.75
신소재공학과	19	28.1	19.8	73.7%	5	4.01	5.79	69.08
사회인프라공학과	10	20.1	14.1	90.0%	1	4.39	5.30	59.30
환경공학과	7	19.4	13.1	85.7%	1	4.74	5.67	58.43
공간정보공학과(자연)	7	19.3	14.1	85.7%	1	4.55	4.93	69.36
건축학부	13	29.4	20.6	84.6%	2	4.54	5.85	65.31
에너지자원공학과	5	19.2	12.4	40.0%	4	4.55	6.16	60.60
수학과	8	18.5	13.6	62.5%	3	4.19	5.49	69.56
통계학과	5	18.0	13.6	80.0%	1	4.24	4.63	64.20
물리학과	7	18.0	13.7	14.3%	7	5.28	7.11	58.36
화학과	8	19.8	13.8	50.0%	5	4.04	4.22	57.31
해양과학과	5	24.6	18.2	60.0%	2	4.33	4.88	60.50
식품영양학과	6	19.3	12.5	83.3%	1	4.53	5.72	50.50
수학교육과	5	27.0	18.2	80.0%	1	3.75	5.10	72.00

(2) 2022학년도 (논술전형) 결과

모집단위	모집 인원	경쟁률	실질 경쟁률	최초합격자 등록률	추가합격자 예비번호	논술점수 평균	학생부교과등급	
							평균	최저
전기공학과	15	24.3	16.9	66.7%	5	36.07	4.23	6.18
전자공학과	14	33.5	23.1	58.7%	2	42.86	4.25	6.15
정보통신공학과	17	26.6	21.5	64.7%	7	36.32	4.26	5.16
수학과	9	17.0	12.0	44.4%	5	37.22	4.18	5.75
통계학과	5	19.8	14.2	100.0%	0	38.20	4.83	6.60
물리학과	7	15.9	12.4	57.1%	3	30.07	4.41	5.79
화학과	8	15.9	11.9	75.0%	2	35.69	4.40	5.36
간호학과(자연)	15	42.5	30.9	86.7%	2	40.40	4.06	5.08
컴퓨터공학과	27	39.3	26.6	77.8%	7	44.83	4.14	5.47
기계공학과	31	28.5	20.7	67.7%	13	47.66	4.21	6.13
항공우주공학과	13	23.6	17.1	84.6%	2	42.23	4.15	5.27
조선해양공학과	11	20.3	15.5	63.6%	6	37.50	4.23	5.68
산업경영공학과	10	21.7	15.7	60.0%	3	38.44	4.10	4.62
화학공학과	24	26.3	18.4	79.2%	8	44.98	3.87	5.06
생명공학과	9	33.9	23.2	55.6%	4	43.06	4.38	5.14
고분자공학과	9	20.0	14.7	66.7%	4	37.61	4.33	5.38
신소재공학과	22	26.6	19.5	72.7%	9	43.73	4.02	5.45
사회인프라공학과	5	17.2	11.6	80.0%	1	34.80	4.30	5.37
환경공학과	7	19.0	14.7	57.1%	4	38.00	4.30	5.74
공간정보공학과(자연)	7	19.7	15.6	71.4%	2	35.07	4.68	5.70
건축학부	13	27.7	20.6	84.6%	2	41.69	4.35	5.44
에너지자원공학과	5	21.6	14.0	80.0%	1	38.70	4.66	6.04
해양과학과	5	16.0	11.8	20.0%	4	25.50	4.45	5.19
식품영양학과	5	16.2	12.2	100.0%	0	35.10	4.41	5.62
수학교육과	5	22.4	17.2	80.0%	1	56.60	4.24	5.16

(3) 2021학년도 (논술전형) 결과

모집단위	모집 인원	경쟁률	실질 경쟁률	최초합격자 등록률	최종 추가합격자 예비번호	논술점수		학생부교과	
						평균	최저	평균	최저
전기공학과	23	36.8	30.5	78.3%	6	69.33	65.00	3.97	5.75
전자공학과	20	40.5	31.0	85.0%	3	71.28	68.50	3.45	5.27
컴퓨터공학과(자연)	18	58.4	45.7	66.7%	8	72.00	66.50	3.69	5.22
정보통신공학과	12	36.7	31.1	91.7%	1	70.17	65.50	4.00	5.90
수학과	9	25.3	21.2	55.6%	7	68.83	63.00	3.79	4.71
통계학과	9	32.6	26.8	100.0%	0	71.89	67.00	4.27	5.39
물리학과	9	25.9	21.6	77.8%	2	71.78	67.50	3.65	4.24
화학과	7	32.7	26.3	71.4%	2	64.50	60.00	4.21	5.28
해양과학과	6	27.2	21.2	66.7%	2	53.25	43.00	4.25	5.88
식품영양학과(자연)	9	29.4	24.4	88.9%	1	61.39	56.50	4.33	6.18
수학교육과	6	27.5	21.7	66.7%	3	70.25	67.00	3.44	4.11
간호학과(자연)	9	42.4	30.9	88.9%	1	68.17	62.00	4.14	5.46
기계공학과	36	41.3	31.30	86.1%	6	57.75	51.00	3.69	5.20
항공우주공학과	12	41.6	33.10	91.7%	1	53.17	44.00	4.03	5.52
조선해양공학과	15	29.4	24.30	80.0%	4	45.63	35.50	4.21	5.72
산업경영공학과	11	31.1	24.60	54.5%	8	45.59	38.00	4.81	7.02
화학공학과	24	46.4	34.80	79.2%	5	52.35	47.50	3.41	5.40
생명공학과	9	56.0	42.60	88.9%	2	51.28	45.00	3.85	5.09
고분자공학과	11	31.3	25.30	100%	0	49.05	45.00	4.23	5.61
신소재공학과	18	40.1	32.20	77.8%	6	52.50	45.00	3.82	4.72
환경공학과	5	30.6	26.20	0%	5	32.50	29.00	4.27	4.76
공간정보공학과(자연)	6	30.0	25.30	100%	0	50.08	45.00	3.91	5.74
건축학부(자연)	20	34.5	27.40	75.0%	6	46.38	39.00	4.30	5.48
에너지자원공학과	8	29.8	25.50	87.5%	1	46.81	37.50	3.93	5.38
글로벌금융학과(자연)	3	28.7	22.70	100%	0	44.33	37.00	4.70	5.41
아태물류학부(자연)	9	25.8	22.00	100%	0	43.94	38.00	4.00	5.39

2. 논술 분석

1) 출제 구분 : 계열 구분

2) 출제 유형 :

계 열	평가유형	문항 수	출제범위	시간
자연	수리논술	3문항	수학교과(수학, 수학 Ⅰ, Ⅱ, 미적분)	120분

3) 출제 방향 :

인하대학교 자연계 논술은 통합교과형이 아니라 수학 교과만을 평가하는 특징을 가지고 있다. 그러나 수학 교과의 배경지식이나 기본교과지식의 수준을 평가하는 것은 아니다. 수학 교과의 여러 개념 및 원리를 문제 해결에 활용하는 능력, 수리계산 능력 및 수리응용 능력, 그리고 문제 풀이 과정을 논리적으로 서술하는 능력 등을 평가하는 시험이다.

4) 논술 평가 :

❶ **수식만 나열하는 것은 감점 요인** – 수리논술은 단순히 수학문제를 푸는 것도 아니고 논리전개를 언어로만 기술하는 언어논술도 아닌 두 부분이 적절히 결합된 영역이라고 보는 것이 옳다. 많은 학생들이 범하는 잘못된 답안작성의 대표적인 예가 이 둘을 적절히 조화시키지 못하는 것이라 할 수 있겠다. 일부 학생들은 '수리'라는 말에만 집착하여 처음부터 끝까지 수식만 나열하는 경우가 있고 어떤 학생은 '논술'이라는 말에 집착하여 수식을 이용하면 간략할 내용을 거의 언어로만 장황하게 기술하려는 경향을 보이기도 한다. **적절히 수식과 그림을 이용**하되 수식은 제시문을 바탕으로 논리적으로 이끌어내고 또한 그 수식들은 완전한 문장 속에 포함시켜서 기술하는 것이 바람직하다.

❷ **논제의 의도를 파악 – 단서를 유심히 살펴야** : 학생들이 범하는 오류 중 상당수는 **출제자의 의도**를 제대로 파악을 하지 못해서 생긴다.

❸ **최종 결과는 주어진 값들로 표현** : 많은 학생들이 감점을 당하는 또 다른 요인으로는 최종 결과를 제대로 표현을 못해서 생기는 경우가 많다.

❹ **특수한 예를 들어 일반화하는 오류** : 채점 중에 간혹 발견되는 또 다른 대표적인 오류는 일반적인 증명을 요하는 문제에 특수한 하나의 예를 들어 일반화하는 오류이다.

❺ **앞 문제를 풀지 못해도 다음 문제에 도전** : 앞선 논제에서 실수를 한 것 때문에 다음 논제에서 틀린 결과를 얻는 것에 대해서는 참작을 하여 부분 점수를 부여하기 때문에 앞선 논제를 풀지 못하였다고 포기하지 말고 앞선 논제의 결과를 다음 논제의 풀이에 사용하도록 하자.

❻ **답안지를 작성할 때에는 문항번호에 해당하는 답란에 답을 작성하고, 답란 밖에는 작성하지 말 것**

❼ **본인이 지원한 모집단위에 해당하는 문항을 선택하여 답안을 작성할 것**

자연계 논술 답안의 특성상 실질적인 답안의 내용 외에 채점에 영향을 미치는 부분은 거의 없다. 중요한 것은 문제에서 요구한 답안을 수식 혹은 그림을 사용하여 조리 있게 논리적으로 기술하는 것이다. 수식은 깔끔하게 정리하여 문장과 문장 사이에 놓고, 그림을 그린 경우는 그림의 내용을 설명해 가면서 답안을 작성하면 된다.
이 과정에서 글씨체는 중요하지 않으나 누구나 알아볼 수 있도록 써야 한다. 맞춤법 및 띄어쓰기는 기본적인 소양이니 평소에 잘 훈련해 두는 것이 좋다. 답안 작성 후 검토 과정에서 잘못된 부분은 지우거나 혹은 두줄을 긋고 고친 부분을 알아볼 수 있게만 작성하면 문제가 되지 않는다. 수학 교과서 예제 풀이와 같은 형식의 답안을 쓸 수 있도록 연습하면서 실전감각을 키울 수 있다.

3. 출제 문항 수

● 3문항 - 대문항 3문항, 각각 소문항 2~3문항

4. 시험 시간

· **120분**

5. 유의사항

■ 일반 유의사항
1. 시험시간은 120분, 배점은 100점입니다.
2. 답안을 구상할 때 문제지의 여백이나 문제지 내의 연습장을 사용하시오.
3. 답안을 작성할 때 반드시 흑색 필기구만을 사용하시오(연필, 샤프 사용 가능, 사인펜 불가).
4. 답안을 정정할 때 두 줄을 긋고 정정하시오(수정 테이프, 지우개 사용 가능, 수정액 불가).
5. 답안은 반드시 해당 문항의 답란에 작성하고, 답란 밖에는 작성하지 마시오.
6. 본인이 지원한 모집단위에 해당하는 문항을 선택하여 답안을 작성하시오.
(다른 모집단위 문항의 답안을 작성하면 0점 처리 됩니다.)
※ 답안지는 절대 교체할 수 없습니다.

■ 답안 작성 유의사항
1. 수험번호, 성명 등 신상에 관련된 사항을 답란이나 답안지의 여백에 드러내지 마시오.
2. 풀이과정이나 설명 없이 간략히 답만 쓰면 0점 처리됩니다.
3. 풀이의 과정을 순차적으로 서술하되, 필요한 경우에 수식 및 그림을 사용할 수 있으며, 수식은 반드시 문장 속에 포함시키시오.

Ⅱ. 기출문제 분석

1. 출제 과목 및 주제

학년도	교과목	주제
2024 오전	미적분	접선의 방정식, 그래프의 개형(아래로 볼록), 방정식과 부등식
	수학Ⅰ, Ⅱ	점과 직선 사이의 거리, 극대, 극댓값
	미적분	매개변수로 나타낸 함수의 미분, 치환적분
2024 오후	미적분	정적분, 치환적분법
	수학Ⅰ, Ⅱ, 미적분	두 직선의 수직 조건, 함수의 최솟값, 음함수의 미분
	수학 Ⅱ	함수의 증가와 감소, 평균값 정리
2024 모의	수학, 수학Ⅰ, Ⅱ, 미적분	함수의 미분을 이용한 접선, 매개변수를 이용한 접선의 방정식, 부분적분법, 함수의 개형 및 함수의 최댓값, 최솟값, 적분, 치환적분,
2023 오전	수학, 수학Ⅰ, Ⅱ, 미적분	이차방정식의 근과 계수의 관계, 정적분의 활용
		부분적분법
		우극한, 함수의 증가와 감소, 최솟값, 평균값 정리
2023 오후	수학, 수학Ⅰ, Ⅱ, 미적분	미분계수, 함수의 최댓값과 최솟값, 두 직선의 수직 조건, 함수의 극한
		극댓값과 극솟값, 삼차방정식, 항등식, 정적분, 함수의 극한
		부분적분법, 곡선의 볼록
2023 모의	미적분	삼각함수의 덧셈정리, 함수의 최솟값
	수학, 수학Ⅱ	직선의 방정식, 도형의 넓이, 함수의 미분
	수학 Ⅱ, 미적분	명제, 진리집합, 우극한, 함수의 증가와 감소, 평균값 정리
2022 오전	수학	명제, 귀류법, 부등식
	미적분	수열의 극한, 정적분의 성질, 부분적분법
	수학, 수학Ⅱ	함수의 그래프, 평행이동, 접선의 방정식
2022 오후	수학, 수학Ⅱ	정적분, 곡선으로 둘러싸인 도형의 넓이, 절대부등식
	수학, 수학Ⅰ	집합과 명제, 삼각함수
	미적분학	합성함수의 미분법, 지수함수와 로그함수의 극한
2022 모의	수학Ⅰ, 미적분	사인법칙, 코사인법칙, 극한, 음함수 미분
	수학Ⅱ	함수의 극한, 연속함수, 사잇값의 정리
	수학, 미적분	이계 도함수, 부분적분법

학년도	교과목	주제
2021 오전	수학 I , II	함수의 그래프의 개형, 방정식에의 활용, 곡선과 좌표 축 사이의 넓이
	수학 II , 미적분	삼각함수의 극한, 적분과 미분의 관계, 부분적분
	수학 I	코사인법칙, 중복조합, 연속함수
2021 오후	수학, 수학II	이차방정식의 근과 판별식, 도함수의 활용, 함수의 증가와 감소
	수학 II , 미적분	연속함수, 사잇값 정리, 접선의 방정식, 삼각함수의 미분
	수학 II , 미적분	적분과 미분의 관계, 이계도함수
2021 모의	수학, 미적분	접선의 방정식, 점과 직선사이의 거리, 합성함수 미분법, 정적분
	수학II	최댓값, 최대/최소, 연속함수
	수학 II , 미적분	이계 도함수, 사잇값 정리, 합성함수의 미분

2. 기출 연도별 교육과정 내용

학년도별 출제 여부 고등학교 교육과정 내용			2015 개정 교육과정							
교과목	영역	내용	2024 수시	2024 모의	2023 수시	2023 모의	2022 수시	2022 모의	2021 수시	2021 모의
수학	다항식	다항식의 연산			○				○	
		나머지정리			○				○	
		인수분해			○				○	
	방정식과 부등식	복소수와 이차방정식			○				○	
		이차방정식과 이차함수								
		여러 가지 방정식								
		여러 가지 부등식					○			
	도형의 방정식	평면좌표								
		직선의 방정식	○	○	○	○		○		○
		원의 방정식								
		도형의 이동	○				○			
	집합과 명제	집합					○	○		
		명제			○	○	○			
	함수	함수					○			○
		유리함수와 무리함수								
	경우의 수	경우의 수			○					
수학 I	지수함수 와 로그함수	지수								
		로그								
		지수함수와 로그함수								
	삼각함수	삼각함수					○		○	
		사인법칙과 코사인법칙						○		
	수열	등차수열과 등비수열								
		수열의 합			○					○
		수학적 귀납법				○		○	○	○

학년도별 출제 여부 고등학교 교육과정 내용			2015 개정 교육과정							
교과목	영역	내용	2024 수시	2024 모의	2023 수시	2023 모의	2022 수시	2022 모의	2021 수시	2021 모의
수학 Ⅱ	함수의 극한과 연속	함수의 극한			○					
		함수의 연속		○	○			○	○	○
	미분	미분계수와 도함수	○	○	○					
		도함수의 활용	○	○	○	○	○		○	○
	적분	부정적분과 정적분			○				○	
		정적분의 활용		○	○	○	○		○	
미적분	수열의 극한	수열의 극한					○			
		급수								
	미분법	여러 가지 함수의 미분		○		○	○	○	○	
		여러 가지 미분법	○	○			○	○	○	○
		도함수의 활용	○		○					○
	적분법	여러 가지 적분법	○	○	○	○	○	○	○	
		정적분의 활용	○				○			

3. 기출 연도별 출제 의도

기출 연도	출제 의도
2024년 수시 오전	● 아래로 볼록인 함수의 특성을 이해하고 부등식을 활용할 수 있는지 평가한다.
	● 점과 직선 사이의 거리를 구할 수 있는지 살펴보고 극값을 활용하여 함수의 최댓값을 구할 수 있는지 평가한다.
	● 두 곡선이 한 점에서만 만날 조건을 접점에 관한 식으로 표현하고, 매개변수로 나타낸 함수의 미분을 계산하여 치환적분을 통해 활용할 수 있는지 평가한다.
2024년 수시 오후	● 정적분의 계산 능력을 평가한다. 또한 주어진 적분 형태에 적절한 치환적분법을 활용할 수 있는지도 확인하고자 하였다.
	● 거리를 나타내는 함수의 최솟값을 구할 수 있는지를 평가하며, 음함수 미분을 활용할 수 있는지도 살펴보았다.
	● 평균값 정리를 이해하고 문제에 적용할 수 있는지 평가하였다. 증가함수의 수학적 정의를 이해하고 미분값과 함수의 증감 관계를 파악하여 논리적으로 서술하였는지 확인하였다.
2024년 모의	● 주어진 점에서 미분가능한 함수의 접선을 구하는 능력과 매개변수로 나타낸 함수를 미분할 수 있는 능력을 평가한다. 주어진 함수의 미분을 이용하여 접선을 구하고, 매개변수로 주어진 함수의 미분을 이용하여 접선의 방정식을 구하는 문제이다.
	● 함수의 그래프로 주어지는 부분의 넓이가 최소가 되는 경우를 부분적분법에 의해 계산할 수 있는지를 평가한다. 함수의 미분을 통하여 그래프의 개형을 이해하고 그것을 통하여 함수의 최댓값과 최솟값을 구하는 문제이다.
	● 적분의 개념을 잘 이해하고, 치환적분법을 활용할 수 있는지와 적분의 크기를 비교할 수 있는지를 평가한다. 3-1에서는 치환적분법을 활용하여 주어진 함수의 적분을 계산할 수 있는지를 평가한다. (3-2), (3-3)에서는 적분의 기본 개념을 이해하고 주어진 함수가 가질 수 있는 적분값의 범위를 구할 수 있는지를 평가한다.
2023년 수시 오전	● 포물선과 x축으로 둘러싸인 영역의 넓이를 정적분을 이용해 구하는 법을 알고 있는지, 그리고 이차방정식의 근과 계수의 관계를 이용하여 그 결과를 간단히 정리할 수 있는지를 평가한다. 각각 포물선과 x축으로 둘러싸인 영역의 넓이를 정적분을 이용해 구하는 문제, 포물선과 직선으로 둘러싸인 영역의 넓이를 구하는 문제, 주어진 조건에서 정수가 되는 자연수 m의 값을 구하는 문제이다
	● 함수의 그래프로 주어지는 부분의 넓이가 최소가 되는 경우를 부분적분법에 의해 계산할 수 있는지를 평가한다. 곡선과 직선에 의해 결정되는 부분의 넓이가 최소가 되는 경우를 구하는 과정의 평가와 함수의 미분을 통하여 함수의 개형을 관찰하면 주어진 부분의 넓이는 직선이 곡선에 접할 때 최소임을 알고 영역의 넓이를 부분적분법을 이용하여 구하는 문제이다.

기출 연도	출제 의도
	● 함수의 증가와 감소, 좌극한/우극한, 평균값 정리 등을 잘 이해하고 관련된 교과 내용을 이해하고 사고할 수 있는지 평가한다. 함수의 증가/감소라는 개념을 잘 이해하고 있는지 평가하고, 함수의 우극한/좌극한 및 최댓값/최솟값을 구할 수 있는지, 평균값의 정리가 성립하는 상황과 성립하지 않는 조건을 파악할 수 있는지 평가하는 문제이다.
2023년 수시 오후	● 미분과 관련하여 접선의 방정식을 구할 수 있고, 주어진 함수의 최댓값과 최솟값을 구할 수 있는지를 평가한다. 또한 극한 계산을 할 수 있는지를 평가한다. 주어진 곡선을 정의하는 함수의 미분계수가 접선의 기울기가 됨을 이용하면 제시문에 의해서 접선의 방정식을 구하고 삼각형의 면적을 구하는 문제이다. 미분가능한 함수의 미분계수가 양수인 경우 그 주변에서 함수값이 증가하고, 음수인 경우 함수값이 감소하므로 도함수의 부호를 판별함으로써 최대, 최소를 구분하는 문제이다. 각형의 넓이를 내접원의 반지름과 세변의 길이를 이용하여 나타내면 내접원의 반지름을 주어진 변수로 나타내고 주어진 극한을 구하는 문제이다.
	● 두 곡선 사이의 관계를 방정식으로 이해하고, 다시 방정식의 해를 함수와 상수함수의 관계로 해석할 수 있는지를 평가한다. 또한 항등식의 성질을 이용하여 두 교점의 위치를 알 때, 나머지 교점의 위치를 확인하고 극한을 계산할 수 있는지를 평가한다. 두 곡선의 교점의 수를 그래프의 개형을 이용하여 파악하는 문제이다. 두 곡선의 교점의 x좌표를 제시문을 이용하여 구하는 문제, 제시문을 이용하여 극한을 구하는 문제이다.
	● 함수의 그래프로 주어지는 부분의 넓이가 최대가 되는 경우를 부분적분법에 의해 계산할 수 있는지를 평가한다. 두 함수의 그래프에 의해 결정되는 부분의 넓이가 최대가 되는 경우를 구하는 문제이다. 함수의 도함수, 이계도함수를 통하여 함수의 개형을 관찰하고, 주어진 부분의 넓이를 부분적분법을 이용하여 계산한다. 미분을 이용하여 주어진 부분의 넓이가 최대가 되는 때를 구하는 문제이다.
2023년 모의	● 삼각함수의 덧셈정리를 이해하고 이것을 기하적 문제에 활용할 수 있는지를 평가하는 문제이다. 주어진 함수를 미분하여 최솟값을 구할 수 있는지도 아울러 평가한다.
	● (2-1) 직선의 방정식을 결정하는 요소들(기울기, 한 점)을 인식하여 직선의 방정식을 구하고, 교점을 찾기 위해 포물선의 방정식과 연립하여 두 교점을 정확히 찾을 수 있는지를 묻는 문제이다. 또한 도형의 면적을 적분을 이용하여 올바로 계산할 수 있음을 확인하고자 하였다. ● (2-2) (2-1)과 유사한 출제 의도이나, (2-1)보다 조금 더 복잡한 계산을 다루고, 근과 계수의 관계를 활용할 수 있는지를 확인하고자 하였다. 근과 계수의 관계를 활용하지 않고 인수분해 또는 근의 공식을 사용하는 경우, 계산 능력을 확인하는 문제이다. ● (2-3) 주어진 기울기를 갖는 접선의 방정식, 평행한 두 직선 사이의 거리, 합성함수의 미분 및 삼각함수에 관련된 내용을 이해하고 있는지를

기출 연도	출제 의도
	종합적으로 묻는 문제이다. 이 문제를 잘 해결하기 위해서는 주어진 식을 잘 정리할 수 있는 계산 능력 역시 중요하다.
	● 함수의 증가와 감소, 좌극한/우극한, 평균값 정리 등을 잘 이해하고 있는지 이러한 개념과 관련되거나 유사한 상황에 관한 명제들을 이용해서 평가하는 문제이다. 주어진 조건을 정리 또는 공식을 이용해서 풀이하는 표준적인 문제와는 다르게, 알고 있는 정리가 성립하지 않는 반례에 해당하는 상황이나 다른 성격의 명제가 성립하는 상황에 대한 소문항들로 구성되어 있다.
2022년 수시 오전	● 주어진 명제를 잘 이해하고 그것을 논리적으로 해결할 수 있는지를 평가하는 문제이다. 또한 부등식 조작 능력과 그 결과로 얻어진 새로운 부등식을 문제에 맞게 잘 해석하고 활용할 수 있는지를 평가한다. 이 문제를 해결하기 위해서는 복잡한 계산을 할 필요는 없고 귀류법을 활용할 수 있는 기본적인 논리력과 간단한 수식 조작을 할 수 있는 능력만 있으면 된다.
	● 수열의 성질을 이용하여 수열의 극한을 구할 수 있는지와 정적분의 의미와 부분적분법을 이해하고 활용할 수 있는지를 평가한다.
	● 좌표평면에서 평행이동을 활용해서 문제를 해결할 수 있는지를 평가하고자 하였다. 미적분에서 기본적인 개념인 접선의 방정식을 구하고 이와 관련한 계산을 할 수 있는지, 삼차함수의 그래프의 개형을 알고 있는지 그리고 이러한 개념들을 조합해서 문제를 해결할 수 있는지를 평가한다.
2022년 수시 오후	● 정적분과 곡선으로 둘러싸인 도형의 넓이의 상관관계를 이해하는지를 확인하고, 다항식의 정적분 계산 능력을 확인한다. 절대부등식을 사용하여 최댓값을 구하고, 등호가 성립할 조건을 활용할 수 있는지를 확인한다.
	● 좌표평면에서 기본적인 개념만으로 구성된 명제에 대해 이해하고 상황을 파악해서 문제를 해결할 수 있는지를 평가하고자 하였다. 문제를 해결하는 과정에서 수학 I 에서 배우는 삼각함수를 활용하는 계산을 통해 정답을 구할 수 있으므로 삼각함수를 이해하고 있는지도 평가한다.
	● 합성함수의 미분을 이용하여 부등식에 관한 문제를 해결할 수 있는지와 자연로그에 대하여 이해하고 있는지를 평가한다.
2022년 모의	● 삼각형에 관련된 사인법칙, 코사인법칙 등 기본적인 성질들을 비롯하여 더 나아가 삼각함수의 미분에 관련된 내용을 숙지하고 있는지를 종합적으로 확인하는 문제이다. 각 문항의 (a)는 사인법칙, 코사인법칙을 상황에 맞게 적용할 수 있는지 (1-1) (b)에서는 함수가 아닌 방정식으로부터 필요한 도함수를 음함수를 이용하여 구할 수 있는지, (1-2) (b)에서는 극한을 구할 때, 삼각함수의 극한을 활용할 수 있는지를 확인하고자 했다.
	● 연속함수의 개념을 잘 이해해서 주어진 상황에서 연속함수가 구성될 조건을 정확히 찾아낼 수 있는지를 평가한다. 사잇값의 정리는 직관적으로 당연하게 생각되는 결론을 수학적으로 논증할 수 있게 해주는 도구

기출 연도	출제 의도
	인데, 이러한 도구를 이용해서 직관적으로 값만 얻지 않고 그 값이 되어야만 하는 상황을 엄밀하게 증명할 수 있는지 평가하는 것이 (2-1)의 출제 의도이다. (2-2)는 함수를 합성했을 때 정의역과 공역/치역이 어떻게 함수의 존재성이 영향을 주는지를 파악하는 문제이며, 제시문을 읽고 주어진 상황에 적용할 수 있는지를 평가하는 문제이다. (2-3)은 구간별로 주어진 함수를 잘 이어붙여서 전체집합에서 연속함수가 되도록 구성하는 문제이며 이는 교과서에서 좌극한/우극한을 이용해서 각 점에서 어떤 함수가 연속인지를 알아내는 예시들의 심화된 형태이다. 좌극한/우극한 뿐 아니라 (2-2)의 상황과 같이 함수 자체가 구간별로 존재하는 또는 존재하지 않는 상황이 되는 경우에 유의하면서 전체함수를 구성해야 해서, 앞의 두 소문항보다 난이도가 다소 높은 변별력을 목적으로 하는 문항이기도 하다.
	● 부분적분법을 이용하여 주어진 함수에 관한 적분을 이계도함수에 관한 적분으로 표현할 수 있는지를 알아본다. 또한 이 결과를 이용하여 특정한 함수의 적분의 근삿값을 구할 수 있는지를 평가한다.
2021년 수시 오전	● 방정식의 실근을 두 함수의 그래프의 교점의 x좌표로 이해할 수 있는지, 곡선과 좌표축 사이의 넓이를 정적분으로 연결시킬 수 있는지, 다항식의 연산을 수행할 수 있는지를 평가하는 문제이다.
	● 정적분으로 주어진 함수를 미분할 수 있는지를 알아보고, 삼각함수의 극한과 적분을 계산할 수 있는지를 평가한다.
	● 삼각형의 세 변의 길이와 제시문 (가)에서 주어진 부등식과의 관계를 이해하고, 이를 이용하여 좌표평면 위의 점의 집합에 관한 문제를 해결할 수 있는지 평가하는 문제이다.
2021년 수시 오후	● 포물선이 한 점을 지날 조건을 이차방정식이 실근을 가질 조건으로 연결시킬 수 있는 능력과 다항함수의 도함수를 분석하여 다항함수의 최솟값을 구하는 능력을 평가하고자 하였다.
	● 삼각함수의 그래프의 개형과 접선의 방정식을 이해하고 있는지 평가하고, 사잇값 정리를 이용하여 연속함수의 성질을 파악할 수 있는지 평가한다.
	● 정적분과 미분의 관계를 활용하여 정적분으로 주어진 함수를 미분할 수 있는지를 평가한다. 이계도함수를 계산하고 이를 이용하여 그래프의 개형을 파악할 수 있는지를 평가한다.
2021년 모의	● 원과 접선의 성질을 이해하고 미분과 적분의 개념을 주어진 문제에 활용할 수 있는지를 평가하고자 하였다. 특히 지수와 로그함수의 역관계를 이해하고 합성함수와 곱의 미분법을 통해 연속함수의 값을 구하고 정적분의 계산과 지수법칙을 함수의 극한에 적용할 수 있는지를 평가한다.
	● 최대/최소와 연속함수의 개념을 이해하고, 주어진 상황을 분석해서 관련된 성질을 만족하는 함수와 구간 등을 찾을 수 있는지를 평가한다.

기출 연도	출제 의도
	● 합성함수의 미분법을 이용하여 주어진 함수의 미분을 계산할 수 있는지와 이계도함수의 부호로부터 함수가 가진 성질을 유추할 수 있는지를 알아본다. 또한 사잇값 정리를 이용하여 연속함수가 갖는 성질을 유추할 수 있는지를 알아본다.

III. 논술이란?

1. 논술이란?

1) 논술이란?

어떤 문제에 대해 자기 나름의 주장이나 견해를 내세운 다음, 여러 가지 근거를 제시하여 그 주장이나 견해가 옳음을 증명하는 글쓰기 활동을 말한다. 따라서 논술의 가장 기본적인 요소는 주장과 근거이다. 다시 말해 어떤 주제에 관해서 자신의 견해를 밝히고 자기 의견을 내세우는 글이 바로 논술이다. 때문에 논술은 특별히 논리적이어야 한다는 요구를 받게 된다. 왜냐하면 여러 가지 의견이 있을 수 있는 문제에 대해 자신의 의견을 세워 다른 사람을 설득하려면, 그 주장이 충분한 근거 위에서 논리적으로 개진될 때만 가능하기 때문이다.

2) 대한민국 논술고사는?

한국에서의 대학 입시 논술고사는 실제 교과 과정과 교과서가 기본이 되어 응용된 사고와 풀이 능력과 지식을 바탕으로 한다. 논술고사는 일반적을 비판적으로 글을 읽는 능력과 창의적으로 문제를 설정하고 해결하는 능력 그리고 논리적으로 서술하는 능력을 종합적으로 평가하는 시험이다. 비판적으로 글을 읽는다는 것은 능동적으로 자신의 관점에서 글을 읽는 것을 말하며, 창의적으로 문제를 설정하고 해결하는 능력이란 심층적이고 다각적으로 논제에 접근함으로써 독창적인 사고와 풀이를 이끌어낼 수 있는 능력을 말한다. 그리고 논리적 서술 능력은 글 구성 능력, 근거 설정 능력, 표현 능력 등을 포괄한다.

3) 자연계 논술? 그리고 그 변화

모든 글은 일반적으로 3가지 종류로 나뉘어진다. 시, 소설 등 문학 작품과 같은 글쓰기인 창작적 글쓰기(creative writing)와 설명문이나 해설문의 글쓰기는 해명적 글쓰기(expository writing), 그리고 논설문의 글쓰기인 비판적 글쓰기(critical writing)가 있다. 이 글쓰기 중 대한민국의 대학입시에서 시행되고 있는 자연계 논술은 창작적 글쓰기는 포함되지 않는다. 새로운 문학 작품을 쓰는게 아니라 제시문을 읽고 내용을 구체화시켜 잘 설명하는 설명문의 형태가 있고, 주어진 문제에 대해 생각하고 깊이있는 주장을 피력하는 비판적 글쓰기도 있다.

2. 논술의 기본 용어

1) 논제 : 논술의 문제를 의미한다.

반드시 해결하고 접근하여야 할 논술 시험의 대상이다.

(가) 중심 논제 : 채점할 때 가장 배점이 높으며, 핵심적으로 해결해야 할 논술의 문제

(나) 세부 논제 : 큰 논제 속에 포함된 작은 문제, 각 단계별 채점의 기준이 되며 세부 채점 항목으로 필수 해결 항목이다.

2) 논거 : 논술에서 설명하고 주장하는 논리적인 근거 혹은 이유

3) 주장 : 수험생이 생각하고 채점자에게 알리고 싶은 생각

4) 제시문 : 보기 지문을 말한다.

(가) 출제자가 논제 해결을 위해 보여주는 다양한 글

(나) 각종 그래프, 도표, 그림 등

자료가 정해져 있지는 않다. 하지만 고등학교 교과서를 가장 많이 인용하고, 고등

학교 교과 과정으로 분석하고 판단할 수 있는 내용을 제시한다.

5) 개요 : 논제에 맞게 더 구체적으로는 세부 논제에 맞게 글의 진행 방향을 간략하게 정리하는 과정이다.

3. 논술의 명령어

논술고사 후 대학의 발표 자료를 보면 논술은 출제자의 의도에 부합하게 글을 써야 한다고 강조한다. 그런데 출제자의 의도를 파악하는 것은 자칫 상당히 모호하고 주관적인 것으로 판단하기 쉽다. 하지만 자연계 논술에서는 명령어가 한정되어 있다. 그 명령어들을 잘 익히고 의미를 파악한다면 훨씬 논술의 이해가 높아질 것이다. 또한 대학의 채점 기준에는 명령어의 요구 조건을 충족하는지를 평가한다. 그러므로 자연계 논술의 명령어는 수험생에게는 아주 기초적이지만 필수적이며 절대 잊지 말아야 할 중요한 핵심이다.

1) ~ 에 대해 논술하시오.

; 주장을 밝히고 근거를 제시한다.

2) ~ 에 대해 설명하시오.

: 사실, 주장 등을 쉽게 풀어서 밝힌다.

- **~ 제시문 간의 관련성을 설명하시오.**
- **~ 제시문의 논리적 타당성과 문제점을 설명하시오.**
- **~ 제시문을 참고하여 주어진 자료의 특징을 설명하시오.**
- **~ 제시문의 관점에서 왜 그런 현상이 생기는지 그 이유를 설명하시오.**

3) ~ 의 비교하시오. 혹은 대조하시오.

: 공통점과 차이점을 중심으로 설명한다.

- **~ 공통점과 차이점을 설명하시오.**

4) ~ 을 분석하시오.

: 주제를 구성요소로 나누고 각 부분의 의미와 상호관계를 밝힌다.

5) ~ 제시문과 주어진 자료를 참고하여 현상을 예측해 보시오.

: 주어진 자료를 해석하고 자료로부터 얻을 수 있는 시간에 따른 변화나 자료의 발생 이유를 살핀다.

6) ~ 제시문의 문제점을 지적하고 그 문제점을 해결할 방법을 제시하시오.

: 보통은 수학이나 과학의 역사에서 발생했던 여러 오류나 실험과정에서 나타난 문제점을 가지고 있다. 또한 이론이나 실험, 학생의 실험보고서 등과 같이 확실한 오류가 있는 제시문을 주기도 한다. 분명히 문제점을 파악하여 답안에 서술하고 문제점이나 해결할 수 있는 방법 등을 명확히 하여야 한다.

- **~ 제시문의 관점에서 왜 그런 현상이 생기는지 그 원리를 설명하고 그런 현상을 예방할 수 있는 방안을 제시하시오.**
- **~ 문제점을 지적하고 합리적 대안을 제안해 보시오.**
- **~ 주어진 관점을 검증할 수 있는 방법을 논하시오.**
- **~ 주어진 문제점을 해결할 수 있는 실험을 설계해 보시오.**

7) 제시문의 관점에서 주장을 비판하시오.

: 어떤 주장의 타당성이나 가치 등을 평가한다.

4. 자연계 논술 글쓰기 유의사항

① 논제의 해결이 핵심이다. 출제자가 원하는 답을 써야 한다.

② 논제에 부합하는 글을 일관성 있게 써야 한다.

③ 한편의 글을 완성하여야 한다. 나열하거나 사례를 보여주는 것은 의미가 없다.

④ 제시문을 활용, 인용하는 것과 제시문을 그대로 옮겨 쓰는 것은 다르다. 적절하게 제시문의 내용을 사용하여 논제를 해결하여야 한다. 절대 제시문의 문장을 그대로 쓰면 안 된다. 금기사항이고 감점요인이다.

⑤ 부적절한 문장 즉, 비문을 만들지 말아야 한다. 주어와 서술어가 적절하게 있어 문장의 의미를 명확히 전달하여야 한다. 주어를 생략하거나 지시어를 과도하게 사용하면 문장의 의미가 모호해 진다.

⑥ 문장은 짧고 간결하게 써야 한다. 자신의 의견을 명확히 간결하고 효과적으로 밝혀야 한다.

5. 논술 확인 사항

① 시간의 제한이 시험이다. 논술 시험은 자유롭게 글을 쓴다고 생각하고 주어진 시간을 체크하지 않는 경우가 정말 많다. 대학별로 요구하는 시간에 알맞게 답안을 구성해야 한다.

② 문단의 구성, 맞춤법, 띄어쓰기 등을 무시하면 절대 안 된다. 글쓰기의 기본은 의미의 전달 과정임으로 효율적인 연습과 준비가 되어 있어야 한다.

③ 습관적으로 물어보는 의문문, 같이 할 것을 제안하는 청유형은 사용하지 않는 것이 좋다. 문법의 오류가 아니라 격을 떨어뜨리고 글을 단조롭고 어색한 글 전개가 될 가능성이 높다.

④ 500자 미만이면 서론에 해당하는 도입과정은 과감히 생략하고 바로 논점으로 들어간다.

⑤ 한국어에는 수동태가 없다. 그러나 워낙 영어 번역하며 많이 사용하다 보니 논술 답안에도 수험생들이 자주 사용한다. 문법에 맞는 효과적인 표현이 필요하다. 학생이 수험생이 대학의 논술 고사에 응시하고 답안지에 논술 답안을 쓰는 것이다. 대학의 논술 답안지가 수험생으로부터 답안으로 쓰여지는 것이 아니다.

⑥ 많은 수험생들은 착각을 한다. 논술을 멋진 글쓰기라고 생각해 감상적이거나 비유적인 표현도 많이 사용한다. 그런데 오히려 이러한 표현은 채점자가 수험생의 사고능력 파악이 힘들어지고, 오히려 논제 해결을 했는지 판단하는데 혼동을 준다. 또한 일상에서 사용하는 구어체도 사용하면 안 된다. 논술은 글쓰기에서 쓰는 조금 딱딱한 문어체를 사용하는 것이다.

⑦ 아무리 강조해도 글씨의 중요성은 지나치지 않을 것이다. 채점하는 교수님들의 한결같은 큰 애로점은 이해할 수 없는 학생의 글씨라고 한다. 글씨체를 갑자기 바꿀 수 없지만 타인이 알 수 있게 규칙적으로 줄을 맞춰 쓰고, 분량에 맞는 큰 글씨로, 흘려 쓰지 않는 정자체로 답안을 작성하여야 한다.

IV. 자연계 논술 실전

1. 각 대학별 논술 유의사항을 파악하라!

많은 대학에서 글자수 제한을 확인하여야 한다. 그래서 원고지 형이 많지만, 문항별 칸을 만들거나 밑줄 답안 형식도 있다. 논술 시험 시간은 각 대학별로 다양하다. 60분 즉, 한 시간을 시작으로 많게는 2시간까지 (120분)까지 다양하게 있다. 대학별로 준비해야 하는 중요한 이유이다. 답안을 작성하는 필기구도 다양하다. 연필(샤프펜)의 사용이 꾸준히 증가하지만 아직까지 검정색 볼펜이나 청색 볼펜으로 사용하는 학교도 많다. 주의할 것은 수정법이다. 수정은 학교에 따라 수정액, 수정테이프의 사용을 제한하는 경우도 있고 틀리면 두줄을 긋고 써야 하는 곳도 있다. 그러므로 각 대학별 특징을 파악하고, 미리 답안 작성 연습은 물론이고 작성할 때도 대학별로 금지하는 내용을 숙지하고 시험장에 가야 한다.

각 대학별 유의사항 사례

사례 1)

가. 답안은 한글로 작성하되, 글자수 제한은 없다.
나. 제목은 쓰지 말고 특별한 표시를 하지 말아야 한다.
다. 제시문 속의 문장을 그대로 쓰지 말아야 한다.
라. 반드시 본 대학교에서 지급한 필기구를 사용하여야 한다.
마. 수정할 부분이 있는 경우 수정도구를 사용하지 말고 원고지 교정법에 의하여 교정하여야 한다.
바. 본 대학교에서 지급한 필기구를 사용하지 않거나, 수정도구를 사용한 경우, 답안지에 특별한 표시를 한 경우, 또는 원고지의 일정분량 이상을 작성하지 않은 경우에는 감점 또는 0점 처리한다.

사례 2)

Ⅰ. 필요한 경우 한 개 또는 여러 개의 제시문을 선택하여 논의를 전개하고, 사용한 제시문은 꼭 참고문헌 형태로 표시하시오.
예) …[제시문 1-4].
예) …되며[제시문 2-4], …의 경우는 ~을 보여준다[제시문 2-1].
Ⅱ. [문제 1]부터 [문제 4]까지 문제 번호를 쓰고 순서대로 답하시오.
Ⅲ. 연필을 사용하지 말고, 흑색이나 청색 필기구를 사용하시오.
Ⅳ. 인적사항과 관련된 표현을 일절 쓰지 마시오.
Ⅴ. 문제당 배점은 동일함.

사례 3)

◇ 각 문제의 답안은 배부된 OMR 답안지에 표시된 문제지 번호에 맞춰 작성하시오.
◇ 각 문제마다 정해진 글자수(분량)는 띄어쓰기를 포함한 것이며, 정해진 분량에 미달하거나 초과하면 감점 요인이 됩니다.
◇ 답안지의 수험번호는 반드시 컴퓨터용 수성 사인펜으로 표기하시오.
◇ 답안은 검정색 필기구로 작성하시오. (연필 사용 가능)
◇ 답안 수정시 원고지 교정법을 활용하시오. (수정 테이프 또는 연필지우개 사용 가능)
◇ 답안 내용 및 답안지 여백에는 성명, 수험번호 등 개인 신상과 관련된 어떤 내용, 불필요한 기표하면 감점 처리됩니다.

사례 4)

◆ 답안 작성 시 유의사항 ◆

□ 논술고사 시간은 90분이며, 답안의 자수 제한은 없습니다.

□ 1번 문항의 답은 답안지 1면에 작성해야 하고, 2번 문항의 답은 답안지 2면에 작성해야 합니다. 1, 2번을 바꾸어 작성하는 경우 모두 '0점 처리'됩니다.

□ 연습지는 별도로 제공하지 않습니다. 필요한 경우 문제지의 여백을 이용하시기 바랍니다.

□ 답안은 검정색 또는 파란색 펜으로만 작성하며 연필, 샤프는 사용할 수 없습니다.

□ 답안 수정은 수정할 부분에 두 줄로 긋거나 수정테이프(수정액은 사용 불가)를 사용해서 수정합니다.

□ 답안지에는 답 이외에 아무 표시도 해서는 안 됩니다.

□ 답안지 교체는 고사 시작 후 70분까지 가능하며, 그 이후는 교체가 불가합니다.

2. 제시문에 먼저 눈을 두지 말고 문제를 파악하라!!!

대학별 고사인 논술의 어려운 점은 시간의 제한이 있는 글쓰기 시험이라는 것이다. 자유롭게 잘 쓸 수 있는 내용일지라도 시간의 제한이 있으면 얘기가 달라진다. 특히 지금과 같이 각 대학별로 다양하게 등장하는 시험에 익숙하지 않은 수험생에게는 더 큰 부담으로 작용을 한다.

대학에서는 다양하게 제시문과 문제를 분포시킨다. 문제를 등장시키고 제시문이 등장하는 경우, 그림과 도표, 그래프 등과 같이 자료를 제시하고 제시문과 문제를 함께 등장시키는 경우, 제시문을 많이 등장시키고 마지막에 문제를 제시하는 경우 등... 이렇듯 다양한 문제에 시간의 적절한 활용은 대학별 고사의 실전에서는 당락을 결정하는 중요 요소이다.

이러한 실전적 논술에서 핵심은 바로 목적을 가지고 제시문의 읽기가 선행되어야 한다. 글 읽기의 핵심은 문제을 통해 논제를 구체적으로 파악하고 그 논제에 부합하게 제시문을 분석하는 것이다.

① 문제를 먼저 확인하라!! – 제시문을 읽고 문제를 보면 다시 긴 제시문을 또 읽어 시간을 낭비한다.

② 세부 논제 확인하라!! – 한 문제라도 그 문제 속에 다루는 논제는 여러 개가 될 수 있다. 그 질문 내용을 파악하라. 그리고 요구한 논제에 맞게 글을 구성한다.

③ 전제적 요건 파악하라!! – 각 문제의 전제적 요건 및 글로 표현된 부연 설명 등이 중요한 키워드가 될 수 있다.

Ⅴ. 인하대학교 기출

1. 2024학년도 인하대 수시 논술 (오전)

[문제 1] (35점) 다음 제시문을 읽고 물음에 답하시오.

(가) (접선의 방정식)
곡선 $y=f(x)$위의 점 $(a,\ f(a))$에서의 접선의 방정식은

$$y-f(a)=f'(a)(x-a)$$

(나) (곡선의 오목과 볼록)
함수 $f(x)$가 어떤 구간에서
(i) $f''(x)>0$이면 곡선 $y=f(x)$는 이 구간에서 아래로 볼록하다.
(ii) $f''(x)<0$이면 곡선 $y=f(x)$는 이 구간에서 위로 볼록하다.

(1-1) 모든 실수 x에 대하여 부등식

$$3x+b \le e^x$$

을 만족하는 실수 b의 최댓값을 구하시오. (8점)

(1-2) 실수 a, b는 모든 실수 x에 대하여 부등식

$$ax+b \le e^x$$

을 만족한다. $2a+b$의 값이 최대일 때, b의 값을 구하시오. (12점)

(1-3) 실수 a, b는 모든 실수 x에 대하여 두 부등식

$$ax+b \le e^x,\quad ax+b \le e^{x-3}+6$$

을 만족한다. $2a+b$의 최댓값을 구하시오. (15점)

[문제 2] (35점) 다음 제시문을 읽고 물음에 답하시오.

(가) (점과 직선 사이의 거리)

좌표평면 위의 점 $P(x_1,\ y_1)$과 직선 $ax+by+c=0$사이의 거리 d는

$$d=\frac{|ax_1+by_1+c|}{\sqrt{a^2+b^2}}$$

(나) (극대와 극소의 판정)

미분가능한 함수 $f(x)$에 대하여 $f'(a)=0$일 때, $x=a$의 좌우에서

(i) $f'(x)$의 부호가 양에서 음으로 바뀌면 $f(x)$는 $x=a$에서 극대이고, 극댓값 $f(a)$를 갖는다.

(ii) $f'(x)$의 부호가 음에서 양으로 바뀌면 $f(x)$는 $x=a$에서 극소이고, 극솟값 $f(a)$를 갖는다.

(※) $0<t<e$인 실수 t에 대하여 곡선 $y=e^x$ 위의 점 중에서 직선 $y=tx$와의 거리가 최소인 점을 P라 하고 이때 점 P와 직선 $y=tx$ 사이의 거리를 $r(t)$라 하자. 점 P를 중심으로 하고 반지름의 길이가 $r(t)$인 원을 C_t라 하자.

(2−1) 점 P의 좌표와 $r(t)$를 각각 t의 식으로 나타내시오. (8점)

(2−2) $r(t)$가 $t=a$에서 최댓값을 가질 때, 원 C_a가 원점을 지남을 보이시오. (15점)

(2−3) 원 C_a, x축, y축으로 둘러싸인 부분 중 원 C_a의 중심을 포함하는 부분의 넓이를 a의 식으로 나타내시오. (12점)

[문제 3] (30점) 다음 제시문을 읽고 물음에 답하시오.

(가) (매개변수로 나타낸 함수의 미분법)

두 함수 $x=f(t)$, $y=g(t)$가 t에 대하여 미분가능하고 $f'(t)\neq 0$이면

$$\frac{dy}{dx}=\frac{\frac{dy}{dt}}{\frac{dx}{dt}}=\frac{g'(t)}{f'(t)}$$

(나) (정적분의 치환적분법)

함수 $f(x)$가 닫힌구간 $[a, b]$에서 연속이고 미분가능한 함수 $x=g(t)$에 대하여 $a=g(\alpha)$, $b=g(\beta)$일 때 도함수 $g'(t)$가 α, β를 포함하는 구간에서 연속이면

$$\int_a^b f(x)dx=\int_\alpha^\beta f(g(t))g'(t)dt$$

(다) 삼각함수의 덧셈정리에 의해 $\cos 2\alpha=\cos^2\alpha-\sin^2\alpha=2\cos^2\alpha-1=1-2\sin^2\alpha$이므로

$$\cos^2\alpha=\frac{1+\cos 2\alpha}{2},\quad \sin^2\alpha=\frac{1-\cos 2\alpha}{2}$$

(※) $0\leq p\leq 2\pi$인 실수 p에 대하여 두 곡선 $y=(x-p)^2+q$와 $y=\cos x$가 오직 한 점에서 만날 때의 q의 값을 $g(p)$라 하자. 이때 함수 $g(p)$는 p에 대하여 미분가능하다.

(3-1) 두 곡선이 오직 한 점에서 만날 때, 교점의 x좌표를 t라 하자. 이때 p와 q를 각각 t의 식으로 나타내시오. (8점)

(3-2) $g'\left(\frac{\pi}{4}+\frac{\sqrt{2}}{4}\right)$의 값을 구하시오. (10점)

(3-3) 정적분 $\int_0^{2\pi} g(x)dx$의 값을 구하시오. (12점)

모집단위

성 명

논술답안지(자연계)

※감독자 확인란

수 험 번 호									

생년월일 (예 : 050512)					

문항 【1】 반드시 해당 문항의 답을 작성해야 함

1

이 줄 아래에 답안을 작성하거나 낙서할 경우 판독이 불가능하여 채점 불가

이 줄 위에 답안을 작성하거나 낙서할 경우 판독이 불가능하여 채점 불가

문항 【2】 반드시 해당 문항의 답을 작성해야 함

이 줄 아래에 답안을 작성하거나 낙서할 경우 판독이 불가능하여 채점 불가

이 줄 위에 답안을 작성하거나 낙서할 경우 판독이 불가능하여 채점 불가

문항 【3】 반드시 해당 문항의 답을 작성해야 함

3

이 줄 아래에 답안을 작성하거나 낙서할 경우 판독이 불가능하여 채점 불가

2. 2024학년도 인하대 수시 논술 (오후)

[문제 1] (30점) 다음 제시문을 읽고 물음에 답하시오.

(가) (정적분의 치환적분법)

함수 $f(x)$가 닫힌구간 $[a, b]$에서 연속이고 미분가능한 함수 $x=g(t)$에 대하여 $a=g(\alpha)$, $b=g(\beta)$일 때 도함수 $g'(t)$가 α, β를 포함하는 구간에서 연속이면

$$\int_a^b f(x)dx=\int_\alpha^\beta f(g(t))g'(t)dt$$

(나) ($\int \frac{f'(x)}{f(x)}dx$꼴의 부정적분)

$$\int \frac{f'(x)}{f(x)}dx=\ln|f(x)|+C$$

(1－1) 정적분 $\int_0^\pi ((\pi-x)^8+(\pi-x)^2+\sin^3 x)dx$**의 값을 구하시오. (5점)**

(1－2) 닫힌구간 $[0, \pi]$**에서 연속인 함수** $f(x)$**에 대하여** $\int_0^\pi xf(\sin x)dx=\frac{\pi}{2}\int_0^\pi f(\sin x)dx$**가 성립함을 보이시오. (10점)**

(1－3) 정적분 $\int_{-\pi}^\pi \frac{(x+1)\sin^3 x}{2-\cos^2 x}dx$**의 값을 구하시오. (15점)**

[문제 2] (35점) 다음 제시문을 읽고 물음에 답하시오.

> (가) (두 직선의 수직 조건)
> 두 직선 $y=mx+n$과 $y=m'x+n'$에서
> (i) 두 직선이 서로 수직이면 $mm'=-1$이다.
> (ii) $mm'=-1$이면 두 직선은 서로 수직이다.
> (나) (음함수의 미분법)
> 방정식 $f(x,\ y)=0$에서 y를 x의 함수로 보고 각 항을 x에 대하여 미분하여 $\dfrac{dy}{dx}$를 구한다.

(2-1) 곡선 $y=x^2$위의 점 중에서 점 $(-5,\ -1)$과의 거리가 최소인 점의 좌표를 구하시오. (10점)

(2-2) 매개변수 t로 나타낸 곡선 $x=2t+3,\ y=-t-6+\cos\pi t$가 있다. $t=s$일 때 이 곡선 위의 점 P에 대하여 곡선 $y=x^2$ 위의 점 중 P와 거리가 최소인 점을 Q라 하자. 선분 PQ의 길이를 $d(s)$라 할 때, $d'(-4)$의 값을 구하시오. (15점)

(2-3) 점 P는 제 1사분면 위의 점으로 곡선 $y=x^2$ 위에 있지 않고 원 $(x-3)^2+y^2=1$ 위에도 있지 않다. 곡선 $y=x^2$ 위의 점 중 P와 거리가 최소인 점을 Q라 하고, 원 $(x-3)^2+y^2=1$위의 점 중 P와 거리가 최소인 점을 R이라 하자. $\overline{PQ}+\overline{PR}$의 최솟값을 구하시오. (10점)

[문제 3] (35점) 다음 제시문을 읽고 물음에 답하시오.

(가) (평균값 정리)
함수 $f(x)$가 닫힌구간 $[a, b]$에서 연속이고 열린구간 (a, b)에서 미분가능할 때,

$$\frac{f(b)-f(a)}{b-a}=f'(c)$$

인 c가 열린구간 (a, b)에 적어도 하나 존재한다.
(나) 함수 $f(x)$가 어떤 구간에 속하는 임의의 두 수 x_1, x_2에 대하여
(i) $x_1 < x_2$일 때 $f(x_1) < f(x_2)$이면 함수 $f(x)$는 이 구간에서 증가한다고 한다.
(ii) $x_1 < x_2$일 때 $f(x_1) > f(x_2)$이면 함수 $f(x)$는 이 구간에서 감소한다고 한다.
(다) 함수 $f(x)$가 어떤 열린구간에서 미분가능하고, 이 구간의 모든 x에 대하여
(i) $f'(x) > 0$이면 $f(x)$는 이 구간에서 증가한다.
(ii) $f'(x) < 0$이면 $f(x)$는 이 구간에서 감소한다.

(※) 함수 $f(x)$는 정의역이 양의 실수 전체의 집합이고 이계도함수 $f''(x)$를 갖는다고 하자.

(3-1) **모든 양의 실수 x에 대하여 $f''(x) > 0$이면 $0 < a < b < c$인 임의의 실수 a, b, c에 대하여**

$$\frac{f(b)-f(a)}{b-a} < \frac{f(c)-f(b)}{c-b}$$

임을 보이시오. (7점)

(3-2) **모든 양의 실수 x에 대하여 $f(x) \le x$이고 $f''(x) > 0$이면, 모든 양의 실수 x에 대하여 $f'(x) \le 1$임을 보이시오. (20점)**

(3-3) **함수 $g(x) = \begin{cases} px^2 & (0 < x \le 2) \\ x - \ln x + q & (x > 2) \end{cases}$가 모든 양의 실수 x에 대하여 $g(x) \le x$이고 $g''(x)$가 존재하며 $g''(x) > 0$을 만족하도록 하는 상수 p, q의 값을 구하시오. (8점)**

논술답안지(자연계)

※감독자 확인란

모집단위

성 명

수 험 번 호									
⓪	⓪	⓪	⓪	⓪	⓪	⓪	⓪	⓪	⓪
①	①	①	①	①	①	①	①	①	①
②	②	②	②	②	②	②	②	②	②
③	③	③	③	③	③	③	③	③	③
④	④	④	④	④	④	④	④	④	④
⑤	⑤	⑤	⑤	⑤	⑤	⑤	⑤	⑤	⑤
⑥	⑥	⑥	⑥	⑥	⑥	⑥	⑥	⑥	⑥
⑦	⑦	⑦	⑦	⑦	⑦	⑦	⑦	⑦	⑦
⑧	⑧	⑧	⑧	⑧	⑧	⑧	⑧	⑧	⑧
⑨	⑨	⑨	⑨	⑨	⑨	⑨	⑨	⑨	⑨

생년월일 (예 : 050512)					
⓪	⓪	⓪	⓪	⓪	⓪
①	①	①	①	①	①
②	②	②	②	②	②
③	③	③	③	③	③
④	④	④	④	④	④
⑤	⑤	⑤	⑤	⑤	⑤
⑥	⑥	⑥	⑥	⑥	⑥
⑦	⑦	⑦	⑦	⑦	⑦
⑧	⑧	⑧	⑧	⑧	⑧
⑨	⑨	⑨	⑨	⑨	⑨

문항 【1】 반드시 해당 문항의 답을 작성해야 함

1

이 줄 아래에 답안을 작성하거나 낙서할 경우 판독이 불가능하여 채점 불가

이 줄 위에 답안을 작성하거나 낙서할 경우 판독이 불가능하여 채점 불가

문항 【2】 반드시 해당 문항의 답을 작성해야 함

2

이 줄 아래에 답안을 작성하거나 낙서할 경우 판독이 불가능하여 채점 불가

이 줄 위에 답안을 작성하거나 낙서할 경우 판독이 불가능하여 채점 불가

문항 【3】 반드시 해당 문항의 답을 작성해야 함

3

이 줄 아래에 답안을 작성하거나 낙서할 경우 판독이 불가능하여 채점 불가

3. 2024학년도 인하대 모의 논술

[문제 1] 다음 제시문을 읽고 물음에 답하시오.(35점)

(가) 곡선 $y=f(x)$위의 점 $(a,\ f(a))$에서의 접선의 방정식은

$$y-f(a)=f'(a)(x-a)$$

(나) 매개변수로 나타낸 두 함수 $x=f(t)$, $y=g(t)$가 t에 대하여 미분가능하고 $f'(t)\neq 0$이면

$$\frac{dy}{dx}=\frac{\frac{dy}{dt}}{\frac{dx}{dt}}=\frac{g'(t)}{f'(t)}$$

(1-1) 곡선 $y=e^x$위의 한 점 $Q(0,1)$에서 곡선 $y=e^x$의 접선을 l이라 하자. $b<e^a$를 만족하는 좌표평면 위의 한 점 $P(a,b)$에 대해서 선분 PQ는 직선 l과 수직이고, 점 P로부터 직선 l까지의 거리가 1이다. 이 때, 점 P의 좌표를 구하시오. [8점]

(1-2) $v<e^u$를 만족하는 두 실수 u, v에 대하여, 중심이 $(u,\ v)$ 이고 반지름이 1인 원이 곡선 $y=e^x$과 한 점 (t,e^t)에서 만나며 그 점에서의 두 곡선의 접선이 일치할 때, u, v를 t에 대한 식으로 나타내시오. [12점]

(1-3) (1-2)에서 구한 u, v를 $v=f(u)$로 나타낼 때, $u=\frac{\sqrt{2}}{2}$에서 곡선 $v=f(u)$의 접선의 방정식을 구하시오. [15점]

[문제 2] 다음 제시문을 읽고 물음에 답하시오. (35점)

(가) 미분 가능한 함수 $f(x)$에 대하여 $f'(a)=0$이고 $x=a$의 좌우에서 부호가 양(+)에서 음(-)으로 바뀌면 $f(x)$는 $x=a$에서 극대이고, 극댓값은 $f(a)$이다. (나) 함수 $f(x)$의 이계도함수 $f''(x)$가 존재하고 $f'(a)=0$일 때, $f''(a)<0$이면 $f(x)$는 $x=a$에서 극대 이고 극댓값은 $f(a)$이다.

(※)구간 $[-1, 1]$에서 정의된 함수에 대한 다음 질문에 답하시오.

(2-1) $f(x)=ax+b-\dfrac{1}{3-x}$**이라 하자.**

(a) $f'(c)=0$**인** c**가** $[-1, 1]$**에 존재하기 위한** a**의 범위를 구하시오. [5점]**

(b) $f(-1)=f(1)$**이 성립하도록 하는** a**의 값을 구하시오. [5점]**

(c) $f(-1)=f(1)$**일 때,** $[-1, 1]$**에서의 함수** $f(x)$**의 최댓값을 구하시오. [5점]**

(d) $f(-1)=f(1)$**일 때, 모든** $x\in[-1, 1]$**에 대하여** $|f(x)|<\dfrac{1}{40}$**이 되도록 하는** b**의 값의 범위를 구하시오. [10점]**

(2-2) 모든 $x\in[-1, 1]$**에 대하여**

$$\left|\frac{1}{3}\left(\frac{1}{9}x^2+\frac{1}{3}x+1\right)-\frac{1}{3-x}\right|<\frac{1}{50}$$

임을 보이시오. [10점]

[문제 3] 다음 제시문을 읽고 물음에 답하시오. (30점)

(가) [치환적분법] 닫힌구간 $[a, b]$에서 연속인 함수 $f(x)$에 대하여 미분가능한 함수 $g(t)$가 $a = g(\alpha)$, $b = g(\beta)$이고, 도함수 $g'(t)$가 α, β를 포함하는 구간에서 연속이면

$$\int_a^b f(x)dx = \int_\alpha^\beta f(g(t))g'(t)dt$$

이다.

(나) 닫힌구간 $[a, b]$에서 연속인 두 함수 $f(x)$, $g(x)$가 구간 $[a, b]$에서 $f(x) \le g(x)$이면

$$\int_a^b f(x)dx \le \int_a^b g(x)dx$$

이다.

(※) $0 \le t \le \frac{\pi}{4}$**인 상수에 대하여 함수** $f(x)$**가**

$$f(x) = \begin{cases} 2x & (0 \le x \le t) \\ \frac{4t-\pi}{2t-\pi}(x-t)+2t & \left(t < x \le \frac{\pi}{2}\right) \end{cases}$$

로 주어진다.

(3-1) $t = \frac{\pi}{6}$**일 때,** $\int_0^{\frac{\pi}{2}} \cos f(x)dx$**의 값을 구하시오. [5점]**

(3-2) $\int_0^{\frac{\pi}{2}} \sin f(x)dx$**가 가질 수 있는 최댓값을 구하시오. [10점]**

(3-3) 함수 $g(x) : \left[0, \frac{\pi}{2}\right] \to \left[0, \frac{\pi}{2}\right]$**는 연속이고** $0 < x < \frac{\pi}{2}$**일 때 미분가능하다.** $g(0) = 0$, $g\left(\frac{\pi}{2}\right) = \frac{\pi}{2}$**이고** $0 < x < \frac{\pi}{2}$**인 모든 실수** x**에 대하여** $g'(x) \le 2$**를 만족하면**

$$\frac{1}{2} \le \int_0^{\frac{\pi}{2}} \cos g(x)dx \le \frac{\pi+2}{4}$$

가 성립함을 보이시오. [15점]

논술답안지(자연계)

※감독자 확인란

모집단위

성 명

수	험	번	호						
0	0	0	0	0	0	0	0	0	0
1	1	1	1	1	1	1	1	1	1
2	2	2	2	2	2	2	2	2	2
3	3	3	3	3	3	3	3	3	3
4	4	4	4	4	4	4	4	4	4
5	5	5	5	5	5	5	5	5	5
6	6	6	6	6	6	6	6	6	6
7	7	7	7	7	7	7	7	7	7
8	8	8	8	8	8	8	8	8	8
9	9	9	9	9	9	9	9	9	9

생년월일 (예 : 050512)					
0	0	0	0	0	0
1	1	1	1	1	1
2	2	2	2	2	2
3	3	3	3	3	3
4	4	4	4	4	4
5	5	5	5	5	5
6	6	6	6	6	6
7	7	7	7	7	7
8	8	8	8	8	8
9	9	9	9	9	9

문항 【1】 반드시 해당 문항의 답을 작성해야 함

1

이 줄 아래에 답안을 작성하거나 낙서할 경우 판독이 불가능하여 채점 불가

이 줄 위에 답안을 작성하거나 낙서할 경우 판독이 불가능하여 채점 불가

문항 【2】 반드시 해당 문항의 답을 작성해야 함

2

이 줄 아래에 답안을 작성하거나 낙서할 경우 판독이 불가능하여 채점 불가

이 줄 위에 답안을 작성하거나 낙서할 경우 판독이 불가능하여 채점 불가

문항 【3】 반드시 해당 문항의 답을 작성해야 함

이 줄 아래에 답안을 작성하거나 낙서할 경우 판독이 불가능하여 채점 불가

4. 2023학년도 인하대 수시 논술 (오전)

[문제 1] (35점) 다음 제시문을 읽고 물음에 답하시오.

> 이차방정식 $ax^2+bx+c=0(a\neq 0)$의 두 근을 α, β라 하면
> $$\alpha+\beta=-\frac{b}{a},\quad \alpha\beta=\frac{c}{a}$$
> 이다.

(1-1) 실수 α, $\beta(\alpha<\beta)$에 대하여 $\beta-\alpha=k$라 할 때, 곡선 $y=(x-\alpha)(x-\beta)$와 x축으로 둘러싸인 영역의 넓이를 k의 식으로 나타내시오. [10점]

(1-2) 자연수 m에 대하여 곡선 $y=x^2$과 직선 $y=mx+\dfrac{51}{4}$로 둘러싸인 영역의 넓이 S를 m의 식으로 나타내시오. [10점]

(1-3) (1-2)에서 구한 S가 유리수가 되는 자연수 m을 모두 구하시오. [15점]

[문제 2] (30점) 다음 제시문을 읽고 물음에 답하시오.

(가) [부분적분법] 두 함수 $f(x)$, $g(x)$가 미분가능할 때

$$\int f(x)g'(x)dx = f(x)g(x) - \int f'(x)g(x)dx$$

이다.

(나) $\int x^2 e^x dx = (x^2 - 2x + 2)e^x + C$이다.

(※)함수 $f(x) = (x-2)^2 e^x$**과 닫힌구간** $[a,\ b]$**에서** $g(x) \geq f(x)$**인 일차함수** $g(x)$**에 대하여**

$$S = \int_a^b (g(x) - f(x))dx$$

라 하자.

(2-1) 점 $(2,\ 0)$**을 지나고 곡선** $y = f(x)$**에 접하는 직선의 방정식을 모두 구하시오. [10점]**

(2-2) a, $b(a < b)$**가 방정식** $f'(x) = 0$**의 두 근이고** $g(x) = 6 - 3x$**일 때,** S**의 값을 구하시오. [10점]**

(2-3) $a = -1$, $b = 2$**일 때,** S**가 최소가 되는** $g(x)$**를 구하고 이때의** S**의 값을 구하시오. [10점]**

[문제 3] (35점) 다음 제시문을 읽고 물음에 답하시오.

> [평균값 정리] 함수 $f(x)$가 닫힌구간 $[a, b]$에서 연속이고 열린구간 (a, b)에서 미분가능할 때, $\frac{f(b)-f(a)}{b-a}=f'(c)$인 c가 열린구간 (a, b)에 적어도 하나 존재한다.

(※)함수

$$f(x)=\begin{cases} -x^2+4x & (x \geq 0) \\ \frac{x^2}{4} & (x<0) \end{cases}$$

에 대하여 다음 질문에 답하시오.

(3-1) 다음 조건을 만족하는 실수 a의 값의 범위를 구하시오. [10점]

> $s<a<t$인 모든 실수 s, t에 대하여 $f(s)>f(a)>f(t)$이다.

(3-2) 실수 전체의 집합에서 정의된 함수 $g(x)$가 모든 실수 t에 대하여 $g(t)=\lim_{x \to t+} f'(x)$를 만족한다. 다음 조건을 만족하는 실수 k의 값의 범위를 구하시오. [10점]

> 함수 $|g(x)-k|$는 닫힌구간 $[-1, 1]$에서 최솟값을 갖지 않는다.

(3-3) 다음 조건을 만족하는 두 정수 a, $b(a<b)$의 순서쌍 (a, b)를 모두 구하시오. [15점]

> $\frac{f(b)-f(a)}{b-a}=\lim_{x \to c+} f'(x)$이고 $a<c<b$인 실수 c가 존재하지 않는다.

논술답안지(자연계)

※감독자 확인란

모집단위

성 명

수험번호

생년월일 (예 : 050512)

문항 【1】 반드시 해당 문항의 답을 작성해야 함

1

이 줄 아래에 답안을 작성하거나 낙서할 경우 판독이 불가능하여 채점 불가

이 줄 위에 답안을 작성하거나 낙서할 경우 판독이 불가능하여 채점 불가

문항 【2】 반드시 해당 문항의 답을 작성해야 함

2

이 줄 아래에 답안을 작성하거나 낙서할 경우 판독이 불가능하여 채점 불가

이 줄 위에 답안을 작성하거나 낙서할 경우 판독이 불가능하여 채점 불가

문항 【3】 반드시 해당 문항의 답을 작성해야 함

3

이 줄 아래에 답안을 작성하거나 낙서할 경우 판독이 불가능하여 채점 불가

5. 2023학년도 인하대 수시 논술 (오후)

[문제 1] (30점) 다음 제시문을 읽고 물음에 답하시오.

> [두 직선의 수직 조건] 두 직선 $y=mx+n$과 $y=m'x+n'$에서
> (i) 두 직선이 서로 수직이면 $mm'=-1$이다.
> (ii) $mm'=-1$이면 두 직선은 서로 수직이다.

※ 좌표평면에서 원점을 O라 하자. 실수 $t(t\geq 1)$에 대하여 함수 $f(x)=e^{-x}$의 그래프 위의 한 점 $P(t,\ e^{-t})$에서의 접선이 x축과 만나는 점을 Q라 하고, 점 P를 지나고 접선에 수직인 직선이 x축과 만나는 점을 R이라 하자.

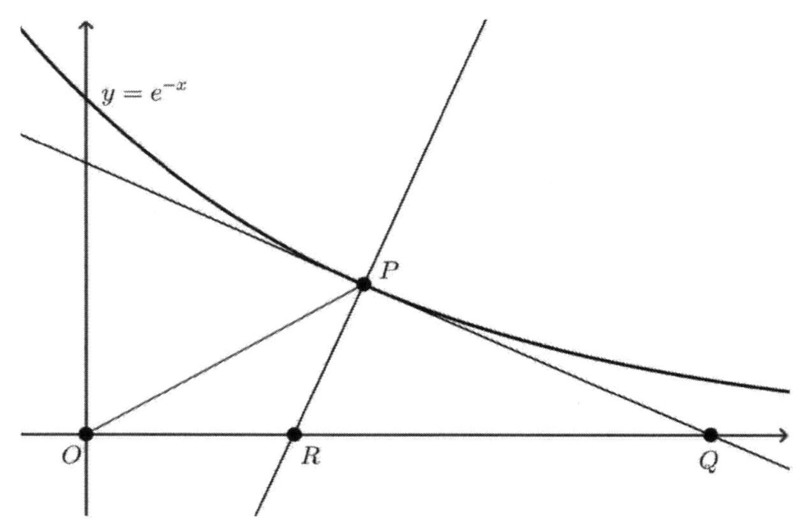

(1-1) 삼각형 OPQ의 넓이 $A(t)$를 t의 식으로 나타내시오. [10점]

(1-2) $(2t-1)A(t)$의 최댓값을 구하시오. [10점]

(1-3) 삼각형 OPQ의 내접원의 반지름을 r이라 하고, 삼각형 PQR의 넓이를 S라 할 때, $\lim_{t\to\infty}\frac{r}{S}$의 값을 구하시오. [10점]

[문제 2] (35점) 다음 제시문을 읽고 물음에 답하시오.

(가) 계수가 실수인 삼차다항식 x^3+ax^2+bx+c가 실수 α, β, γ에 대해

$$(x-\alpha)(x-\beta)(x-\gamma)$$

로 인수분해 되는 경우, 삼차방정식 $x^3+ax^2+bx+c=0$은 세 실근 α, β, γ를 갖는다고 한다. (단, α, β, γ의 값이 서로 다를 필요는 없다.)

(나) 계수가 실수인 삼차방정식 $x^3+ax^2+bx+c=0$이 세 실근 α, β, γ를 가지면, 등식

$$\begin{aligned} x^3+ax^2+bx+c &= (x-\alpha)(x-\beta)(x-\gamma) \\ &= x^3-(\alpha+\beta+\gamma)x^2+(\alpha\beta+\beta\gamma+\gamma\alpha)x-\alpha\beta\gamma \end{aligned}$$

가 성립하므로 근과 계수 사이에는 다음과 같은 관계가 성립한다.

$$\alpha+\beta+\gamma=-a,\ \alpha\beta+\beta\gamma+\gamma\alpha=b,\ \alpha\beta\gamma=-c$$

(다) 함수 $y=(x-\alpha)^2(x-\beta)$ $(\alpha\neq\beta)$의 그래프와 x축으로 둘러싸인 영역의 넓이는 $\dfrac{(\alpha-\beta)^4}{12}$이다.

(2-1) 곡선 $y=3(x+4)^2+q$와 곡선 $y=x^3$이 한 점에서만 만나도록 하는 실수 q의 값의 범위를 구하시오. [10점]

(2-2) 실수 p, q에 대하여 곡선 $y=3(x-p)^2+q$와 곡선 $y=x^3$이 x좌표가 1보다 큰 점에서 만나고, 그 교점에서 공통의 접선을 갖는다.

(a) 두 곡선의 모든 교점의 x좌표를 p의 식으로 나타내시오. [10점]

(b) 두 곡선으로 둘러싸인 영역의 넓이를 A라 할 때, $\displaystyle\lim_{p\to-\infty}\frac{q}{A}$의 값을 구하시오. [15점]

[문제 3] (35점) 다음 제시문을 읽고 물음에 답하시오.

(가) [부분적분법] 두 함수 $f(x)$, $g(x)$가 미분가능할 때

$$\int f(x)g'(x)dx = f(x)g(x) - \int f'(x)g(x)dx$$

이다.

(나) 두 번 미분가능한 함수 $f(x)$가 어떤 구간에서

$f''(x) > 0$이면 곡선 $y = f(x)$는 그 구간에서 아래로 볼록하고,

$f''(x) < 0$이면 곡선 $y = f(x)$는 그 구간에서 위로 볼록하다.

(※) $0 \leq t < \pi$인 실수 t에 대하여 함수 $f(x)$를

$$f(x) = \begin{cases} (\sin t)x & (0 \leq x \leq t) \\ \dfrac{t\sin t}{t-\pi}(x-\pi) & (t < x \leq \pi) \end{cases}$$

로 정의할 때, $S = \int_0^\pi |f(x) - x\sin x|dx$라 하자.

(3-1) 닫힌구간 $[0,\ \pi]$에서 x에 대한 방정식 $f(x) - x\sin x = 0$의 서로 다른 해의 개수를 $g(t)$라 할 때, $g(t) = 4$를 만족하는 t의 값의 범위를 구하시오. [10점]

(3-2) $t = \dfrac{\pi}{4}$일 때 S의 값을 구하시오. [10점]

(3-3) S의 최댓값을 구하시오. [15점]

모집단위

성 명

논술답안지(자연계)

※감독자 확인란

수 험 번 호									
⓪	⓪	⓪	⓪	⓪	⓪	⓪	⓪	⓪	⓪
①	①	①	①	①	①	①	①	①	①
②	②	②	②	②	②	②	②	②	②
③	③	③	③	③	③	③	③	③	③
④	④	④	④	④	④	④	④	④	④
⑤	⑤	⑤	⑤	⑤	⑤	⑤	⑤	⑤	⑤
⑥	⑥	⑥	⑥	⑥	⑥	⑥	⑥	⑥	⑥
⑦	⑦	⑦	⑦	⑦	⑦	⑦	⑦	⑦	⑦
⑧	⑧	⑧	⑧	⑧	⑧	⑧	⑧	⑧	⑧
⑨	⑨	⑨	⑨	⑨	⑨	⑨	⑨	⑨	⑨

생년월일 (예 : 050512)					
⓪	⓪	⓪	⓪	⓪	⓪
①	①	①	①	①	①
②	②	②	②	②	②
③	③	③	③	③	③
④	④	④	④	④	④
⑤	⑤	⑤	⑤	⑤	⑤
⑥	⑥	⑥	⑥	⑥	⑥
⑦	⑦	⑦	⑦	⑦	⑦
⑧	⑧	⑧	⑧	⑧	⑧
⑨	⑨	⑨	⑨	⑨	⑨

문항 【1】 반드시 해당 문항의 답을 작성해야 함

1

이 줄 아래에 답안을 작성하거나 낙서할 경우 판독이 불가능하여 채점 불가

이 줄 위에 답안을 작성하거나 낙서할 경우 판독이 불가능하여 채점 불가

문항 【2】 반드시 해당 문항의 답을 작성해야 함

이 줄 아래에 답안을 작성하거나 낙서할 경우 판독이 불가능하여 채점 불가

이 줄 위에 답안을 작성하거나 낙서할 경우 판독이 불가능하여 채점 불가

문항 【3】 반드시 해당 문항의 답을 작성해야 함

3

이 줄 아래에 답안을 작성하거나 낙서할 경우 판독이 불가능하여 채점 불가

6. 2023학년도 인하대 모의 논술

[문제 1] (35점) 다음 제시문을 읽고 물음에 답하시오.

> 임의의 각 α, β에 대하여 $\cos(\alpha+\beta)=\cos\alpha\cos\beta-\sin\alpha\sin\beta$이다. 따라서 임의의 각 θ에 대하여 $\cos2\theta=\cos^2\theta-\sin^2\theta=2\cos^2\theta-1=1-2\sin^2\theta$이고, 이 공식을 이용하면 $0\le\theta\le\frac{\pi}{2}$일 때 다음과 같은 공식을 얻을 수 있다.
>
> (i) $\cos\frac{\theta}{2}=\sqrt{\frac{1+\cos\theta}{2}}$
>
> (ii) $\sin\frac{\theta}{2}=\sqrt{\frac{1-\cos\theta}{2}}$

(*) 다음 그림과 같이 삼각형 ABC는 $\angle BAC=\frac{\pi}{2}$인 직각이등변삼각형이다. 변 BC의 중점을 M이라 하자. 점 P, Q는 선분 BC위에 있고 $\angle PAQ=\frac{\pi}{4}$이다. $\overline{BC}=10$일 때 다음 질문에 답하시오.

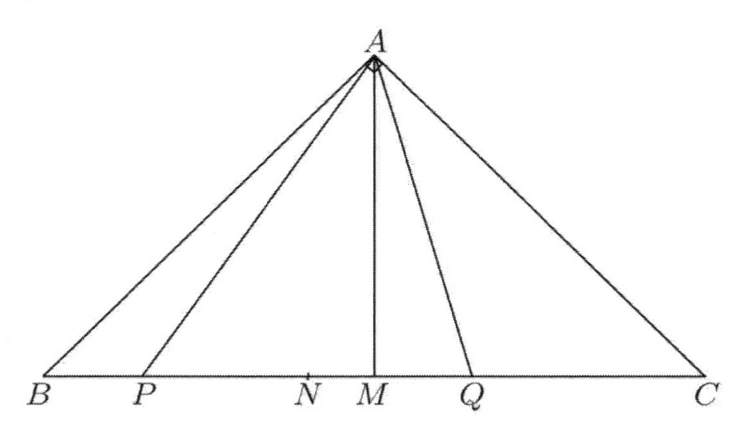

(1－1) $\overline{PM}=\overline{MQ}$일 때 $\overline{PQ}$의 값을 구하시오. [10점]

(1－2) 선분 PQ의 중점을 N이라 하고, 변 BC위에 점들이 위의 그림과 같이 P, N, M, Q의 순서로 놓여 있다고 하자. $\overline{PQ}=k$라 할 때, $\overline{NM}$의 값을 k로 나타내시오. [10점]

(1－3) $\overline{BP}=x(0\le x\le5)$라 할 때, 선분 PQ의 길이를 x로 나타내고, 그 최솟값을 구하시오. [15점]

[문제 2] (35점) 다음 제시문을 읽고 물음에 답하시오.

(가) x축의 양의 방향과 이루는 각이 α이고 점 $(x_0,\ y_0)$을 지나는 직선의 방정식은

$$y=\tan\alpha(x-x_0)+y_0$$

(나) 두 함수 $f(x)$, $g(x)$가 닫힌구간 $[a,\ b]$에서 연속일 때, 두 곡선 $y=f(x)$와 $y=g(x)$및 두 직선 $x=a$, $x=b$로 둘러싸인 도형의 넓이 S는

$$S=\int_a^b |f(x)-g(x)|dx$$

(다) 이차방정식 $ax^2+bx+c=0$의 두 근을 α, β라고 하면

$$\alpha+\beta=-\frac{b}{a},\ \alpha\beta=\frac{c}{a}$$

(※) 포물선 $y=x^2$위의 점 $(1,\ 1)$을 P라 하자. $0<\theta<\frac{\pi}{4}$인 θ에 대하여 점 P를 지나고 x축의 양의 방향과 이루는 각이 θ인 직선 l과 포물선 $y=x^2$으로 둘러싸인 도형의 넓이를 $S(\theta)$라 할 때, 다음 질문에 답하시오.

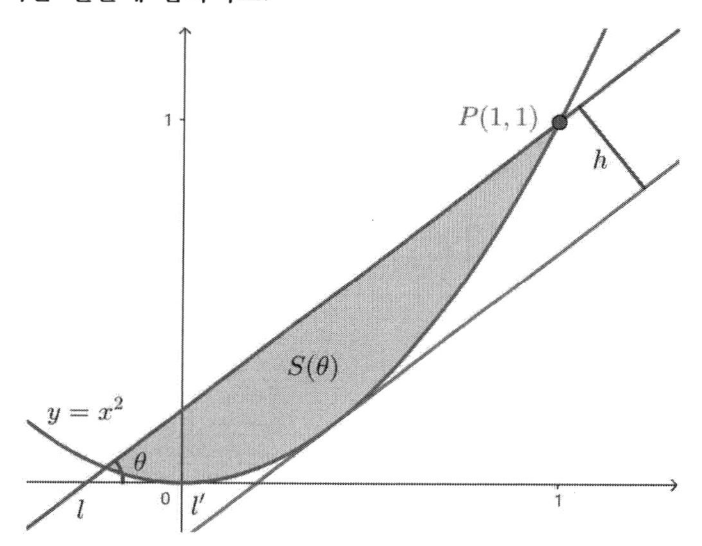

(2－1) $S(\pi/6)$를 구하시오. [10점]

(2－2) $S(\theta)$의 값을 θ의 식으로 나타내시오. [10점]

(2－3) 직선 l과 평행하며 $y=x^2$의 그래프와 제 1사분면에서 접하는 직선을 l'라 하자. 직선 l과 l'사이의 거리를 h라 할 때, h를 θ에 관한 식으로 나타내고, l의 기울기가 $\frac{1}{2}$일 때, $\frac{dh}{d\theta}$의 값을 구하시오. [15점]

[문제 3] (30점) 다음 제시문을 읽고 물음에 답하시오.

(가) [평균값 정리] 함수 $f(x)$가 닫힌구간 $[a, b]$에서 연속이고 열린구간 (a, b)에서 미분가능할 때, $\dfrac{f(b)-f(a)}{b-a}=f'(c)$인 c가 열린구간 (a, b)에 적어도 하나 존재한다.

(나) 함수 $f(x)$가 어떤 구간에 속하는 임의의 두 수 x_1, x_2에 대하여 $x_1 < x_2$일 때 $f(x_1) < f(x_2)$이면 함수 $f(x)$는 이 구간에서 증가한다고 한다. 또 $x_1 < x_2$일 때 $f(x_1) > f(x_2)$이면 함수 $f(x)$는 이 구간에서 감소한다고 한다.
함수 $f(x)$가 닫힌구간 $[a, b]$에서 연속이고 열린구간 (a, b)에서 미분가능할 때, (a, b)의 모든 x에 대하여 $f'(x) > 0$이면 $f(x)$는 $[a, b]$에서 증가한다.

(※) 함수

$$f(x)=\begin{cases} x^2-4x+3 & (x \geq 0) \\ x^2+4x+3 & (x<0) \end{cases}$$

에 대하여 다음 질문에 답하시오.

(3-1) 다음 명제가 참이 되도록 하는 실수 a의 값의 집합을 구하시오. [7점]
$t > a$인 어떤 실수 t에 대하여 $f(t) < f(a)$가 성립한다.

(3-2) (a) 실수 전체의 집합에서 정의된 함수 $g(x)$가 다음 조건을 만족할 때, 함수 $g(x)$의 그래프의 개형을 그리시오. [6점]

모든 실수 a에 대하여 $g(a)=\lim\limits_{x \to a+} f'(x)$이다.

(b) 다음 명제는 거짓이다. 이 명제가 성립하지 않는 a, b의 예를 찾으시오. [7점]

두 실수 a, b(단, $b > a$)에 대하여
$\dfrac{f(b)-f(a)}{b-a}=\lim\limits_{x \to c+} f'(x)$이고 $a < c < b$인 실수 c가 존재한다.

(3-3) 다음 명제가 참이 되도록 하는 상수 k의 최솟값을 구하시오. [10점]

$b-a > k$인 임의의 두 실수, a,b에 대하여
$\dfrac{f(b)-f(a)}{b-a}=\lim\limits_{x \to c+} f'(x)$이고, $a < c < b$인 실수 c가 존재한다.

논술답안지(자연계)

※감독자 확인란

모집단위

성 명

수 험 번 호									
⓪	⓪	⓪	⓪	⓪	⓪	⓪	⓪	⓪	⓪
①	①	①	①	①	①	①	①	①	①
②	②	②	②	②	②	②	②	②	②
③	③	③	③	③	③	③	③	③	③
④	④	④	④	④	④	④	④	④	④
⑤	⑤	⑤	⑤	⑤	⑤	⑤	⑤	⑤	⑤
⑥	⑥	⑥	⑥	⑥	⑥	⑥	⑥	⑥	⑥
⑦	⑦	⑦	⑦	⑦	⑦	⑦	⑦	⑦	⑦
⑧	⑧	⑧	⑧	⑧	⑧	⑧	⑧	⑧	⑧
⑨	⑨	⑨	⑨	⑨	⑨	⑨	⑨	⑨	⑨

생년월일 (예 : 050512)					
⓪	⓪	⓪	⓪	⓪	⓪
①	①	①	①	①	①
②	②	②	②	②	②
③	③	③	③	③	③
④	④	④	④	④	④
⑤	⑤	⑤	⑤	⑤	⑤
⑥	⑥	⑥	⑥	⑥	⑥
⑦	⑦	⑦	⑦	⑦	⑦
⑧	⑧	⑧	⑧	⑧	⑧
⑨	⑨	⑨	⑨	⑨	⑨

문항 【1】 반드시 해당 문항의 답을 작성해야 함

1

이 줄 아래에 답안을 작성하거나 낙서할 경우 판독이 불가능하여 채점 불가

이 줄 위에 답안을 작성하거나 낙서할 경우 판독이 불가능하여 채점 불가

문항 【2】 반드시 해당 문항의 답을 작성해야 함

2

이 줄 아래에 답안을 작성하거나 낙서할 경우 판독이 불가능하여 채점 불가

이 줄 위에 답안을 작성하거나 낙서할 경우 판독이 불가능하여 채점 불가

문항 【3】 반드시 해당 문항의 답을 작성해야 함

이 줄 아래에 답안을 작성하거나 낙서할 경우 판독이 불가능하여 채점 불가

7. 2022학년도 인하대 수시 논술 (오전)

[문제 1] (30점) 다음 제시문을 읽고 물음에 답하시오.

(가) 어떤 명제가 참임을 증명할 때, 주어진 명제의 결론을 부정하여 가정 또는 이미 알려진 수학적 사실 등에 모순됨을 보여 원래의 명제가 참임을 증명하는 방법을 귀류법이라고 한다.

(나) 양수 a, b에 대하여, 다음이 성립한다.

$$a \le b \Leftrightarrow \frac{1}{a} \ge \frac{1}{b}$$

(※) 어떤 자연수들의 집합 S는 다음 조건을 만족한다.

S의 임의의 두 원소 x, $y(x < y)$에 대하여

$$\frac{1}{x} - \frac{1}{y} \ge \frac{1}{30}$$

이다.

(1-1) 집합 S에는 30보다 크거나 같은 원소가 최대 몇 개까지 있을 수 있겠는가? (7점)

(1-2) 집합 $\{i | i$는 $1 \le i \le k$인 자연수 $\}$를 포함하는 집합 S가 존재하도록 하는 자연수 k의 최댓값 을 구하시오. (8점)

(1-3) 집합 S가 가질 수 있는 원소의 개수의 최댓값을 구하시오. (15점)

[문제 2] (35점) 다음 제시문을 읽고 물음에 답하시오.

(가) 모든 자연수 n에 대하여 $a_n \le b_n \le c_n$이고 $\lim_{n\to\infty} a_n = \lim_{n\to\infty} c_n = \alpha$이면 $\lim_{n\to\infty} b_n = \alpha$이다.

(나) 닫힌구간 $[a, b]$에서 연속인 두 함수 $f(x)$, $g(x)$에 대하여

(i) $m \le f(x) \le M$이고 $g(x) \ge 0$이면

$$m\int_a^b g(x)dx \le \int_a^b f(x)g(x)dx \le M\int_a^b g(x)dx$$

이고

(ii) $m \le f(x) \le M$이고 $g(x) \le 0$이면

$$M\int_a^b g(x)dx \le \int_a^b f(x)g(x)dx \le m\int_a^b g(x)dx$$

이다.

(다) 미분가능한 두 함수 $f(x)$, $g(x)$에 대하여 $f'(x)$, $g'(x)$가 닫힌구간 $[a, b]$에서 연속일 때,

$$\int_a^b f(x)g'(x)dx = [f(x)g(x)]_a^b - \int_a^b f'(x)g(x)dx$$

이다.

(※) 수열 $\{a_n\}$, $\{b_n\}$은

$$a_n = \int_{n\pi}^{(n+1)\pi} \frac{|\sin x|}{x}dx, \quad b_n = \int_{n\pi}^{(n+1)\pi} \frac{\cos x}{x^2}dx$$

로 주어진다.

(2-1) $\lim_{n\to\infty} na_n$**의 값을 구하시오. (10점)**

(2-2) $\lim_{n\to\infty} n^2 b_n$**의 값을 구하시오. (10점)**

(2-3) $\lim_{n\to\infty} \{n(n+1)a_n - f(n)\} = 0$**이 되는 다항식** $f(x)$**를 구하시오. (15점)**

[문제 3] (35점) 다음 제시문을 읽고 물음에 답하시오.

(가) 함수 $y=f(x)$의 그래프를 x축의 방향으로 p만큼, y축의 방향으로 q만큼 평행 이동한 것은 함수 $y=f(x-p)+q$의 그래프와 같다.

(나) 최고차항의 계수가 1인 임의의 삼차함수 $y=f(x)$의 그래프는 어떤 상수 a에 대하여 함수 $y=x^3-ax$의 그래프를 평행 이동한 것과 같다.

(3-1) 함수 $y=x^3-6x^2+9x+1$의 그래프가 함수 $y=x^3-ax$의 그래프를 평행 이동한 것일 때, 상수 a의 값을 구하시오. (5점)

(3-2) 두 직선 $y=-x$와 $y=-x+4$가 곡선 $y=x^3-mx+n$에 접할 때, 상수 m, n의 값을 구하시오. (10점)

(3-3) 네 직선 $y=-x$, $y=-x+4$, $y=2x$, $y=2x+k$(k는 양수)를 각각 l_1, l_2, l_3, l_4라고 하자. 다음 조건을 만족하는 순서쌍 $(a_1,\ a_2,\ a_3,\ a_4)$의 집합을 S라고 하자.

최고차항의 계수가 1인 삼차함수 $f(x)$가 존재하여, 모든 $i=1,\ 2,\ 3,\ 4$에 대하여 곡선 $y=f(x)$와 직선 l_i의 교점의 개수가 a_i이다.

(a) $(2,\ 2,\ 2,\ 2)\in S$가 되도록 하는 k의 값을 구하시오. (10점)

(b) $(2,\ 2,\ 2,\ 2)\in S$일 때 S의 원소의 개수를 구하시오. (10점)

논술답안지(자연계)

※감독자 확인란

모집단위

성 명

수 험 번 호

0	0	0	0	0	0	0	0	0	0
1	1	1	1	1	1	1	1	1	1
2	2	2	2	2	2	2	2	2	2
3	3	3	3	3	3	3	3	3	3
4	4	4	4	4	4	4	4	4	4
5	5	5	5	5	5	5	5	5	5
6	6	6	6	6	6	6	6	6	6
7	7	7	7	7	7	7	7	7	7
8	8	8	8	8	8	8	8	8	8
9	9	9	9	9	9	9	9	9	9

생년월일 (예 : 050512)

0	0	0	0	0	0
1	1	1	1	1	1
2	2	2	2	2	2
3	3	3	3	3	3
4	4	4	4	4	4
5	5	5	5	5	5
6	6	6	6	6	6
7	7	7	7	7	7
8	8	8	8	8	8
9	9	9	9	9	9

문항 【1】 반드시 해당 문항의 답을 작성해야 함

1

이 줄 아래에 답안을 작성하거나 낙서할 경우 판독이 불가능하여 채점 불가

이 줄 위에 답안을 작성하거나 낙서할 경우 판독이 불가능하여 채점 불가

문항 【2】 반드시 해당 문항의 답을 작성해야 함

2

이 줄 아래에 답안을 작성하거나 낙서할 경우 판독이 불가능하여 채점 불가

이 줄 위에 답안을 작성하거나 낙서할 경우 판독이 불가능하여 채점 불가

문항 【3】 반드시 해당 문항의 답을 작성해야 함

3

이 줄 아래에 답안을 작성하거나 낙서할 경우 판독이 불가능하여 채점 불가

8. 2022학년도 인하대 수시 논술 (오후)

[문제 1] (30점) 다음 제시문을 읽고 물음에 답하시오.

(가) 두 함수 $f(x)$, $g(x)$가 닫힌구간 $[a,\ b]$에서 연속일 때, 두 곡선 $y=f(x)$, $y=g(x)$및 두 직선 $x=a$, $x=b$로 둘러싸인 도형의 넓이 S는

$$S=\int_a^b |f(x)-g(x)|dx$$

이다.

(나) $a>0$, $b>0$일 때, 다음 부등식이 성립한다.

$$\sqrt{ab}\le\frac{a+b}{2}$$

여기서 등호는 $a=b$일 때 성립한다.

(※) 함수 $f(x)=x^3+x+1$과 양의 실수 t에 대하여 곡선 $y=f(x)$와 y축 및 직선 $y=f(t)$로 둘러싸인 부분의 넓이를 $S(t)$라 하자.

(1－1) $\lim\limits_{t\to\infty}\dfrac{S(t)}{t^4+1}$의 값을 구하시오. (8점)

(1－2) $x>0$일 때, $\dfrac{S(x)}{xf(x)}$의 값의 범위를 구하시오. (10점)

(1－3) 양의 실수 전체의 집합에서 정의된 함수 $h(x)=\dfrac{S(x)}{x^2(f(x))^2}\left(\displaystyle\int_0^x f(t)dt\right)$가 $x=a$에서 최댓값을 가질 때, a와 $h(a)$의 값을 구하시오. (12점)

[문제 2] (35점) 다음 제시문을 읽고 물음에 답하시오.

한 변의 길이가 1인 정오각형 $ABCDE$에 대하여 두 대각선 AC와 BD의 교점을 F라고 하자. 그러면 $\angle AFB = \angle ABF$이므로 $\overline{AF}=1$이다. $\overline{BF}=\overline{CF}=x$라고 하면 두 닮은 삼각형 BCF와 ACB로부터 $1:x = x+1:1$이므로, $x=\frac{-1+\sqrt{5}}{2}$이다. 삼각형 BCF에서 $\angle BCF=\frac{\pi}{5}$이므로 코사인법칙에 의하여 $\cos\frac{\pi}{5}=\frac{1+x^2-x^2}{2x}=\frac{1}{2x}=\frac{1+\sqrt{5}}{4}$를 얻는다. 이때 정오각형 $ABCDE$의 대각선 AC의 길이는 $1+x=\frac{1+\sqrt{5}}{2}$이다.

(※) X가 좌표평면의 부분집합이고 $P\in X$일 때, 다음 조건을 만족하는 P_0, P_1, $\cdots$, $P_n\in X$가 존재하 는 점 Q의 집합을 X_n이라고 하자. (단, n은 자연수이다.)

(i) $P_0=P$, $P_n=Q$이다.
(ii) $1\le i\le n$인 모든 정수 i에 대하여 선분 $P_{i-1}P_i$의 길이는 1이다.

(2-1) X가 반지름의 길이가 r인 원일 때, $P\in X$에 대하여 X_1의 원소의 개수가 1이 되도록 하는 r의 값을 구하시오. (7점)

(2-2) X가 한 변의 길이가 1인 정 7각형의 꼭짓점의 집합일 때, $P\in X$에 대하여 $X_n=X$가 되도록 하는 가장 작은 자연수 n의 값을 구하시오. (8점)

(2-3) X가 반지름의 길이가 r인 원이고 $P\in X$이다. (단, $r>\frac{1}{2}$이다.)

(a) 모든 자연수 n에 대하여 X_n의 원소의 개수가 3이하가 되도록 하는 r의 값을 모두 구하시오. (10점)

(b) 모든 자연수 n에 대하여 $X_n\cup X_{n+1}$의 원소의 개수가 5이하가 되도록 하는 r^2의 값을 모두 구하시오. (10점)

[문제 3] (35점) 다음 제시문을 읽고 물음에 답하시오.

(가) $\lim_{x \to 0}(1+x)^{\frac{1}{x}}$은 존재하고 그 값은 $e = 2.7182\cdots$이다.

(나) $x > 0$일 때 미분가능한 함수 $f(x)$에 대하여

$$\frac{d}{dx}x^{f(x)} = \frac{d}{dx}e^{f(x)\ln x} = e^{f(x)\ln x}\left(f'(x)\ln x + \frac{f(x)}{x}\right) = x^{f(x)}\left(f'(x)\ln x + \frac{f(x)}{x}\right)$$

이다.

(다) $\ln 2 = 0.6931\cdots$, $\ln 3 = 1.0986\cdots$, $\ln 5 = 1.6094\cdots$이다.

(※) $a^b = b^a$, $a < b$를 만족하는 임의의 양의 실수 a, b에 대하여 $t = \frac{b}{a}$일 때

$$a = f(t),\ b = g(t)(t > 1)$$

인 함수 $f(t)$, $g(t)$가 존재한다.

(3-1) **$f(t)$, $g(t)$를 t의 식으로 나타내시오. (10점)**

(3-2) **함수 $h(t) = f(t)\ln g(t)$ $(t > 1)$의 치역을 구하시오. (15점)**

(3-3) **$a^b = b^a = n$을 만족하는 서로 다른 양의 실수 a, b가 존재하도록 하는 최소의 자연수 n을 구하시오. (10점)**

모집단위

성 명

논술답안지(자연계)

※감독자 확인란

수 험 번 호									

생년월일 (예 : 950512)					

문항 【1】 반드시 해당 문항의 답을 작성해야 함

1

이 줄 아래에 답안을 작성하거나 낙서할 경우 판독이 불가능하여 채점 불가

이 줄 위에 답안을 작성하거나 낙서할 경우 판독이 불가능하여 채점 불가

문항 【2】 반드시 해당 문항의 답을 작성해야 함

2

이 줄 아래에 답안을 작성하거나 낙서할 경우 판독이 불가능하여 채점 불가

이 줄 위에 답안을 작성하거나 낙서할 경우 판독이 불가능하여 채점 불가

문항 【3】 반드시 해당 문항의 답을 작성해야 함

이 줄 아래에 답안을 작성하거나 낙서할 경우 판독이 불가능하여 채점 불가

9. 2022학년도 인하대 모의 논술

[문제 1] (30점) 다음 제시문을 읽고 물음에 답하시오.

(가) [사인법칙] 삼각형 ABC에서 외접원의 반지름의 길이를 R라고 하면

$$\frac{a}{\sin A}=\frac{b}{\sin B}=\frac{c}{\sin C}=2R$$

이다.

(나) [코사인법칙] 삼각형 ABC에서

$$a^2=b^2+c^2-2bc\cos A$$
$$b^2=c^2+a^2-2ca\cos B$$
$$c^2=a^2+b^2-2ab\cos C$$

이다.

(다) [음함수의 미분법] 음함수 표현 $f(x,\ y)=0$에서 y를 x의 함수로 보고 양변을 x에 대하여 미분하여 $\frac{dy}{dx}$를 구한다.

(라) $\lim_{x\to 0}\frac{\sin x}{x}=1$(단, x의 단위는 라디안)

(※) 단위원 위의 한 점을 $P(\cos\theta,\ \sin\theta)$라 하자. 여기서 θ는 $0\le\theta\le\pi$를 만족한다. 점 P로부터 거리가 4와 8인 x축의 양의 방향 위의 점들을 각각 S와 T라 하자.

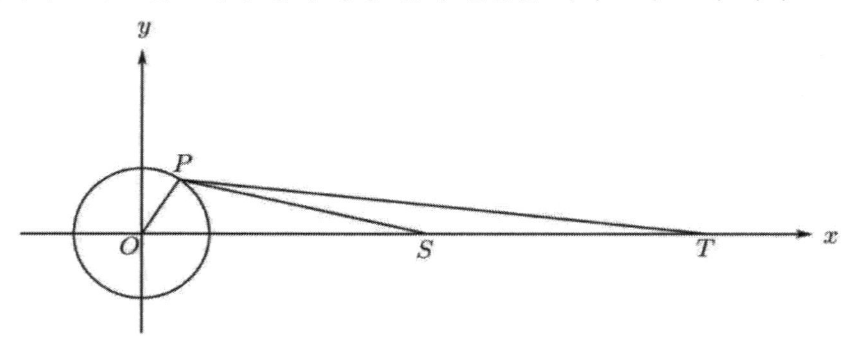

(1－1) **(a) 점 S의 x좌표를 변수 θ에 관한 식으로 나타내시오. [5점]**

(b) 원점을 O라 하자. 각 $\angle OPS$의 크기를 $f(\theta)$라 할 때, $f'(\pi/2)$의 값을 구하시오. [10점]

(1－2) **(a) 각 $\angle PSO$를 θ_1라 하자. $\sin\theta=\frac{1}{5}$일 때, $\sin\theta_1$의 값을 구하시오. [5점]**

(b) 각 $\angle SPT$의 크기를 $g(\theta)$라 할 때, 극한값 $\lim_{\theta\to\pi}\frac{g(\theta)}{\pi-\theta}$를 구하시오. [10점]

[문제 2] (35점) 다음 제시문을 읽고 물음에 답하시오.

(가) 구간 $[a, b]$에서 일대일인 연속함수 $g(x)$와 구간 $[c, d]$에서 정의된 연속함수 $h(x)$에 대하여, $h(x)$의 치역이 함수 $g(x)$의 치역의 부분집합이라고 하자. 이때, 구간 $[c, d]$에 속하는 모든 실수 α에 대하여 $f(\alpha)$를 $g(\beta)=h(\alpha)$가 성립하는 수 $\beta(a<\beta<b)$로 정의하면, $f(x)$는 구간 $[c, d]$에서 정의된 함수이다.

구간 $[c, d]$의 임의의 실수 α에 대하여, 함수 $f(x)$의 정의를 따르면 $g(f(\alpha))=h(\alpha)$이고 함수 $g(x)$와 함수 $h(x)$는 연속함수이므로,

$$g\left(\lim_{x\to\alpha}f(x)\right)=\lim_{x\to\alpha}g(f(x))=\lim_{x\to\alpha}h(x)=h(\alpha)$$

이고 $g(x)$가 일대일 함수라는 사실로부터 $\lim_{x\to\alpha}f(x)=f(\alpha)$를 얻는다.

따라서 $f(x)$는 구간 $[c, d]$에서 연속이고 $(g\circ f)(x)=h(x)$이다.

(나) [사잇값의 정리] 함수 $f(x)$가 닫힌구간 $[a, b]$에서 연속이고 $f(a)\neq f(b)$일 때, $f(a)$와 $f(b)$사이의 임의의 값 k에 대하여 $f(c)=k$인 c가 열린구간 (a, b)에 적어도 하나 존재한다.

(2-1) 실수 전체의 집합에서 연속인 함수 $f(x)$가 모든 실수 x에 대하여 $0\le f(x)\le 2\pi$이고 $\sin f(x)=\cos x$를 만족할 때, $f\left(\dfrac{5\pi}{2}\right)$의 값을 구하시오. [10점]

(2-2) 구간 $[a, b]$에서 연속인 함수 $f(x)$가 $\sin f(x)=|x|-|x-3|+|x-4|-3$을 만족할 때, $b-a$의 최댓값을 구하시오. [10점]

(2-3) 실수 a_1, a_2, a_3, a_4가 다음 조건을 만족한다.

(i) $a_n<a_{n+1}(n=1, 2, 3)$

(ii) $a_n\le x\le a_{n+1}$인 실수 x에 대하여 $\sin f(x)=\cos(nx)+1(n=1, 2, 3)$이고, 실수 전체의 집합에서 연속인 함수 $f(x)$가 존재한다.

$a_1=\dfrac{\pi}{2}$일 때, a_2, a_3의 값을 구하고 a_4의 최댓값을 구하시오. [15점]

[문제 3] (35점) 다음 제시문을 읽고 물음에 답하시오.

(가) [부분적분법] 함수 $f(x)$, $g(x)$가 미분가능하고 $f'(x)$, $g'(x)$가 연속일 때,

$$\int_a^b f'(x)g(x)dx = [f(x)g(x)]_a^b - \int_a^b f(x)g'(x)dx$$

가 성립한다.

(나) $x_1 \neq x_2$일 때, 두 점 (x_1, y_1), (x_2, y_2)를 지나는 직선의 방정식은

$$y - y_1 = \frac{y_2 - y_1}{x_2 - x_1}(x - x_1)$$

이다.

(3-1) 상수 a, b에 대하여 다음을 만족하는 이차함수 $g(x)$를 구하시오. [15점]

실수 전체의 집합에서 두 번 미분가능하고 $f''(x)$가 연속이며 $f(a)=f(b)=0$인 임의의 함수 $f(x)$에 대하여

$$\int_a^b f(x)dx = \int_a^b g(x)f''(x)dx$$

이다.

(3-2) (3-1)에서 구한 함수 $g(x)$와 실수 전체의 집합에서 두 번 미분가능하고 $f''(x)$가 연속인 함수 $f(x)$에 대하여

$$\int_a^b f(x)dx = \frac{(f(a)+f(b))(b-a)}{2} + \int_a^b g(x)f''(x)dx$$

가 성립함을 보이시오. [10점]

(3-3) $\frac{1}{2\sqrt{e}} + \frac{1}{2} \leq \int_0^1 e^{-\frac{x^2}{2}}dx \leq \frac{1}{2\sqrt{e}} + \frac{67}{120}$ 임을 보이시오. [10점]

논술답안지(자연계)

※감독자 확인란

모집단위

성 명

수험번호									

생년월일 (예 : 050512)					

문항 【1】 반드시 해당 문항의 답을 작성해야 함

1

이 줄 아래에 답안을 작성하거나 낙서할 경우 판독이 불가능하여 채점 불가

이 줄 위에 답안을 작성하거나 낙서할 경우 판독이 불가능하여 채점 불가

문항 【2】 반드시 해당 문항의 답을 작성해야 함

2

이 줄 아래에 답안을 작성하거나 낙서할 경우 판독이 불가능하여 채점 불가

이 줄 위에 답안을 작성하거나 낙서할 경우 판독이 불가능하여 채점 불가

문항 【3】 반드시 해당 문항의 답을 작성해야 함

3

이 줄 아래에 답안을 작성하거나 낙서할 경우 판독이 불가능하여 채점 불가

10. 2021학년도 인하대 수시 논술 (오전)

[문제 1] (30점) 다음 제시문을 읽고 물음에 답하시오.

(가) 계수가 실수인 삼차다항식 x^3+ax^2+bx+c가 실수 α, β, γ에 대해 $(x-\alpha)(x-\beta)(x-\gamma)$로 인수분해 되는 경우, 삼차방정식 $x^3+ax^2+bx+c=0$은 세 실근 α, β, γ를 갖는다고 한다. (단, α, β, γ의 값이 서로 다를 필요는 없다.)

(나) 계수가 실수인 삼차방정식 $x^3+ax^2+bx+c=0$이 세 실근 α, β, γ를 기지면, 등식

$$x^3+ax^2+bx+c=(x-\alpha)(x-\beta)(x-\gamma)$$
$$=x^3-(\alpha+\beta+\gamma)x^2+(\alpha\beta+\beta\gamma+\gamma\alpha)x-\alpha\beta\gamma$$

가 성립하므로 근과 계수 사이에는 다음과 같은 관계가 성립한다.

$$\alpha+\beta+\gamma=-a,\ \alpha\beta+\beta\gamma+\gamma\alpha=b,\ \alpha\beta\gamma=-c$$

(1-1) 삼차방정식 $x^3-x-t=0$이 서로 다른 세 실근을 갖도록 하는 실수 t의 값의 범위를 구하시오. (8점)

(1-2) 삼차방정식 $x^3-x-t=0$이 세 실근 α, β, γ $(\alpha \le \beta \le \gamma)$를 갖는다.

(a) 실근 β의 값의 범위를 구하시오. (5점)

(b) 곡선 $y=x^3-x-t$와 x축으로 둘러 싸인 도형의 넓이 S를 β로 나타내고, S의 최솟값을 구하시오. (15점)

[문제 2] (35점) 다음 제시문을 읽고 물음에 답하시오.

(가) 실수 전체의 집합에서 연속인 함수 $f(x)$에 대하여

$$\frac{d}{dx}\int_0^x f(t)dt = f(x)$$

가 성립한다.

(나) 다음 삼각함수의 극한이 성립한다.

$$\lim_{x\to 0}\frac{\sin x}{x} = 1$$

(다) $\sin^2 x$의 부정적분은 다음과 같다.

$$\int \sin^2 x dx = \frac{x}{2} - \frac{\sin 2x}{4} + C \quad (C\text{는 적분상수})$$

※ 실수 전체의 집합에서 연속인 함수 $f(x)$는

$$\int_0^x (x^2 - t^2)f(t)dt = x\sin^2 x$$

를 만족한다.

(2-1) 함수 $f(x)$의 한 부정적분을 $F(x)$라고 할 때, $\int_0^\pi x^2(F(x) - F(0))dx$의 값을 구하시오. (10점)

(2-2) $f(0)$의 값을 구하시오. (10점)

(2-3) 닫힌구간 $[0,\ 10]$에서 함수 $h(x) = \int_0^x (x^3 - t^3)f(t)dt$의 최솟값을 구하시오. (15점)

[문제 3] 다음 제시문을 읽고 물음에 답하시오.

(가) 좌표평면 위의 임의의 세 점 A, B, C에 대하여, 부등식 $\overline{AB}+\overline{BC}\ge\overline{AC}$가 성립한다. 역으로, 좌표평면 위에 임의의 두 점 A, B가 있고, 임의의 두 양수 p, q가 부등식

$$|p-q|\le\overline{AB}\le p+q$$

를 만족하면, $\overline{AC}=p$, $\overline{BC}=q$인 점 C가 좌표평면 위에 존재한다.

(나) (코사인법칙) 삼각형 ABC의 세 변의 길이를 $\overline{BC}=a$, $\overline{CA}=b$, $\overline{AB}=c$라고 하면,

$$a^2=b^2+c^2-2bc\cos A$$

가 성립한다.

(3-1) 좌표평면에서 $\overline{OP_1}=10$, $\overline{P_1P_2}=20$인 점 P_1이 존재하는 점 P_2의 집합을 S라고 할 때, 도형 S의 넓이를 구하시오. (단, O는 원점이다.) (5점)

(3-2) 좌표평면에서 $\overline{OP_1}=a_1$, $\overline{P_1P_2}=a_2$, $\overline{P_2P_3}=a_3$인 두 점 P_1, P_2가 존재하는 점 P_3의 집합이 $\{P\mid\overline{OP}\le 9\}$가 되도록 하는 자연수 a_1, a_2, a_3의 순서쌍 (a_1, a_2, a_3)의 개수를 구하시오. (10점)

(3-3) 자연수 a_1, a_2, a_3과 실수 θ $(0\le\theta<\pi)$에 대하여 다음 조건을 만족하는 좌표평면 위의 점 P_3의 집합을 T_θ라고 하자.

$\overline{OP_1}=a_1$, $\overline{P_1P_2}=a_2$, $\overline{P_2P_3}=a_3$이고 $\theta\le\angle OP_1P_2\le\pi$와 $\theta\le\angle P_1P_2P_3\le\pi$를 만족하는 두 점 P_1, P_2가 존재한다.

(3-2)의 자연수 a_1, a_2, a_3에 대하여, 집합 T_θ가 집합 $\{P\mid\overline{OP}\le 9\}$와 같아지도록 하는 θ의 값의 범위는 $0\le\theta\le\alpha$이다.

(a) $a_1=2$, $a_2=3$, $a_3=4$일 때, $\cos\alpha$의 값을 구하시오. (10점)

(b) α가 최대가 되도록 하는 자연수 a_1, a_2, a_3의 값을 찾고, 이때의 $\cos\alpha$의 값을 구하시오. (10점)

모집단위

성 명

수험번호									
⓪	⓪	⓪	⓪	⓪	⓪	⓪	⓪	⓪	⓪
①	①	①	①	①	①	①	①	①	①
②	②	②	②	②	②	②	②	②	②
③	③	③	③	③	③	③	③	③	③
④	④	④	④	④	④	④	④	④	④
⑤	⑤	⑤	⑤	⑤	⑤	⑤	⑤	⑤	⑤
⑥	⑥	⑥	⑥	⑥	⑥	⑥	⑥	⑥	⑥
⑦	⑦	⑦	⑦	⑦	⑦	⑦	⑦	⑦	⑦
⑧	⑧	⑧	⑧	⑧	⑧	⑧	⑧	⑧	⑧
⑨	⑨	⑨	⑨	⑨	⑨	⑨	⑨	⑨	⑨

생년월일 (예 : 050512)					
⓪	⓪	⓪	⓪	⓪	⓪
①	①	①	①	①	①
②	②	②	②	②	②
③	③	③	③	③	③
④	④	④	④	④	④
⑤	⑤	⑤	⑤	⑤	⑤
⑥	⑥	⑥	⑥	⑥	⑥
⑦	⑦	⑦	⑦	⑦	⑦
⑧	⑧	⑧	⑧	⑧	⑧
⑨	⑨	⑨	⑨	⑨	⑨

논술답안지(자연계)

※감독자 확인란

문항 【1】 반드시 해당 문항의 답을 작성해야 함

1

이 줄 아래에 답안을 작성하거나 낙서할 경우 판독이 불가능하여 채점 불가

이 줄 위에 답안을 작성하거나 낙서할 경우 판독이 불가능하여 채점 불가

문항 【2】 반드시 해당 문항의 답을 작성해야 함

2

이 줄 아래에 답안을 작성하거나 낙서할 경우 판독이 불가능하여 채점 불가

이 줄 위에 답안을 작성하거나 낙서할 경우 판독이 불가능하여 채점 불가

문항 【3】 반드시 해당 문항의 답을 작성해야 함

3

이 줄 아래에 답안을 작성하거나 낙서할 경우 판독이 불가능하여 채점 불가

11. 2021학년도 인하대 수시 논술 (오후)

[문제 1] (30점) 다음 제시문을 읽고 물음에 답하시오.

> (이차방정식의 근의 판별) 계수가 실수인 이차방정식 $ax^2+bx+c=0$에서 $D=b^2-4ac$라고 할 때
>
> (1) $D>0$이면 서로 다른 두 실근을 갖는다.
>
> (2) $D=0$이면 중근(서로 같은 두 실근)을 갖는다.
>
> (3) $D<0$이면 서로 다른 두 허근을 갖는다.

(1-1) 이차함수 $y=(x-p)^2+p^2+2$의 그래프가 점 $(1,\ 7)$을 지나도록 하는 실수 p의 값을 모두 구하시오. (5점)

(1-2) 점 $(a,\ b)$에 대하여 곡선 $y=(x-p)^2+p^2+2$가 점 $(a,\ b)$를 지나도록 하는 실수 p가 존재할 때, $a,\ b$가 만족하는 조건을 구하시오. (10점)

(1-3) 점 $(-12,\ -1)$로부터 곡선 $y=(x-p)^2+p^2+2$ 위의 점까지의 거리 중 최솟값을 $f(p)$라고 하자. 함수 $f(p)$의 최솟값을 구하시오. (15점)

[문제 2] (35점) 다음 제시문을 읽고 물음에 답하시오.

(사잇값 정리) 함수 $f(x)$가 닫힌구간 $[a, b]$에서 연속이고 $f(a) \neq f(b)$이면 $f(a)$와 $f(b)$ 사이에 있는 임의의 실수 k에 대하여 $f(c)=k$인 c가 열린구간 (a, b)에 적어도 하나 존재한다.

(2-1) $0 \leq t \leq 2\pi$인 실수 t에 대하여 곡선 $y=2\sin x$와 직선 $y=x-t$의 교점이 1개가 되도록 하는 t의 값의 범위를 구하시오. (10점)

(2-2) 양수 α에 대하여 함수 $g(t)$는 다음 조건을 만족한다.

(i) $g(t)$는 구간 $[0, 2\pi)$에서 연속이다. (ii) $0 \leq t < 2\pi$인 모든 실수 t에 대하여 $2\sin(g(t))=g(t)-\alpha t$이다.

(a) $\alpha=1$일 때, $k \leq g(0) < k+1$을 만족하는 정수 k의 값을 구하시오. (10점)

(b) 위 조건을 만족하는 함수 $g(t)$가 존재하도록 하는 α의 값 중에서 가장 큰 값을 구하시오. (15점)

[문제 3] (35점) 다음 제시문을 읽고 물음에 답하시오.

(가) 닫힌구간 $[a, b]$에서 연속인 함수 $f(x)$에 대하여

$$\frac{d}{dx}\int_a^x f(t)dt = f(x) \quad (a < x < b)$$

가 성립한다. 그러므로 $a < c < b$일 때

$$\lim_{x \to c}\frac{1}{x-c}\int_c^x f(t)dt = f(c)$$

가 성립한다.

(나) 0을 포함하는 열린구간 (a, b)에서 두 번 미분가능한 함수 $g(x)$에 대하여

(i) 열린구간 $(0, b)$에서 $g''(x) < 0$이고 $g(0) = g'(0) = 0$이면 열린구간 $(0, b)$에서 $g(x) < 0$이다.

(ii) 열린구간 $(a, 0)$에서 $g''(x) < 0$이고 $g(0) = g'(0) = 0$이면 열린구간 $(a, 0)$에서 $g(x) < 0$이다.

※ 실수 전체의 집합에서 두 번 미분가능한 함수 $f(x)$는 모든 실수 x에 대하여

$$\int_0^x f(t)dt \leq \frac{xf(x)}{2}$$

를 만족한다.

(3-1) 함수 $g(x) = \frac{xf(x)}{2} - \int_0^x f(t)dt$의 이계도함수 $g''(x)$를 $f(x)$를 이용하여 표현하시오. (8점)

(3-2) $f(0)$의 값을 구하시오. (10점)

(3-3) 함수 $f(x)$가 $f(x) = (x^2 + px + q)e^x$으로 주어질 때, 상수 p, q의 값을 구하시오. (17점)

모집단위

수험번호

생년월일 (예 : 050512)

논술답안지(자연계)

※감독자 확인란

성명

문항 【1】 반드시 해당 문항의 답을 작성해야 함

1

이 줄 아래에 답안을 작성하거나 낙서할 경우 판독이 불가능하여 채점 불가

이 줄 위에 답안을 작성하거나 낙서할 경우 판독이 불가능하여 채점 불가

문항 【2】 반드시 해당 문항의 답을 작성해야 함

2

이 줄 아래에 답안을 작성하거나 낙서할 경우 판독이 불가능하여 채점 불가

이 줄 위에 답안을 작성하거나 낙서할 경우 판독이 불가능하여 채점 불가

문항 【3】 반드시 해당 문항의 답을 작성해야 함

3

이 줄 아래에 답안을 작성하거나 낙서할 경우 판독이 불가능하여 채점 불가

12. 2021학년도 인하대 모의 논술

[문제 1] (30점) 다음 제시문을 읽고 물음에 답하시오.

(가) (점과 직선 사이의 거리) 점 (x_1, y_1)과 직선 $ax+by+c=0$ 사이의 거리는

$$\frac{|ax_1+by_1+c|}{\sqrt{a^2+b^2}}$$

(나) (접선의 방정식] 함수 $f(x)$가 $x=a$에서 미분가능할 때, 곡선 $y=f(x)$ 위의 점 P $(a, f(a))$에서의 접선의 방정식은

$$y-f(a)=f'(a)(x-a)$$

(다) (합성함수의 미분법) 미분가능한 두 함수 $y=f(u)$, $u=g(x)$에 대하여 합성함수 $y=f(g(x))$의 도함수는

$$\frac{dy}{dx}=\frac{dy}{du}\times\frac{du}{dx} \text{ 또는 } \{f(g(x))\}'=f'(g(x))g'(x)$$

※ 아래 그림과 같이 곡선 $y=e^{-x}$ 위의 점 P(t, e^{-t})에서 접선 l이 x축과 만나는 점을 T라 하고 P에서 x축에 내린 수선의 발을 Q라고 하자. 이때 P를 지나고 x축과 l에 동시에 접하는 원 C의 중심을 F, 반지름을 $r(t)$라 하고 Q에서 접선 l까지의 거리를 $d(t)$라 하자.

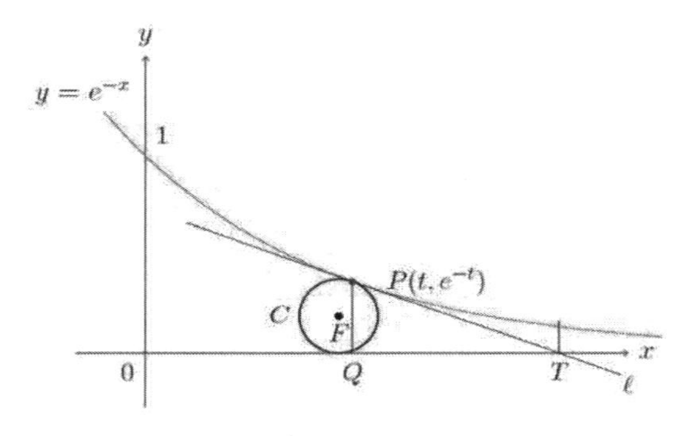

(1-1) $r(a)d(a)=1$을 만족하는 a의 값을 구하시오. [10점]

(1-2) 실수 전체의 집합에서 도함수가 연속인 함수 $f(x)$가

$$f(x^3)=x^2\left(r(x)+\frac{1}{d(x)}\right)\sin(\pi x)$$

를 만족할 때, $f'(0)$의 값을 구하시오. [10점]

(1-3) 점 T를 지나고 y축에 평행한 직선, 선분 PT, 곡선 $y=e^{-x}$으로 둘러싸인 영역의 넓이를 $S(t)$, 삼각형 PFT의 넓이를 $A(t)$이라 할 때, $\lim_{t\to\infty}\frac{A(t)}{S(t)}$의 값을 구하시오. [10점]

[문제 2] (35점) 다음 제시문을 읽고 물음에 답하시오.

(가) 닫힌구간 $[a, b]$에서 함수 $f(x)$가 $c \in [a, b]$인 어떤 c와 $x \in [a, b]$를 만족하는 모든 x에 대하여 부등식 $f(x) \le f(c)$를 만족하면, 이 구간에서 함수 $f(x)$는 최댓값 $f(c)$를 갖는다.
역으로 닫힌구간 $[a, b]$에서 함수 $f(x)$의 최댓값이 $f(c)$ $(c \in [a, b])$라고 하면, $x \in [a, b]$인 모든 x에 대하여 부등식 $f(x) \le f(c)$이 성립한다.

(나) [최대최소 정리] 함수 $f(x)$가 닫힌구간 $[a, b]$에서 연속이면, $f(x)$는 이 구간에서 반드시 최댓값과 최솟값을 갖는다.

(2-1) $f(x) = x^4 - 2x^2$**일 때, 닫힌구간** $[a, b]$**의 부분집합**

$$\{c \in [a, b] \mid \text{모든 } x \in [a, b] \text{ 에 대하여, } f(c) \ge f(x)\}$$

의 원소의 개수가 3이다. a, b**의 값을 구하시오. (10점)**

(2-2) $f(x) = \sin(x^2)$**에 대하여** $\sqrt{2\pi n}$ **을 포함하는 닫힌구간** $[a, b]$ **중에서 부분집합**

$$\{c \in [a, b] \mid \text{모든 } x \in [a, b] \text{ 에 대하여, } f(c) \ge f(x)\}$$

의 원소의 개수가 3이고 $b-a$**의 값이 최소인 것을** $[a_n, b_n]$**이라고 하자. (단,** $n=1, 2, \cdots$**)**

$b_n - a_n < \dfrac{\sqrt{\pi}}{5}$ **인 가장 작은 자연수** n**의 값을 구하시오. (10점)**

(2-3) 양수 α**에 대하여 함수** $g(x)$**는 다음 조건을 만족한다.**

(i) $g(x)$는 닫힌구간 $[0, 1]$에서 연속인 함수이다.
(ii) 모든 $x \in [0, 1]$에 대하여 $0 \le g(x) \le 1$이다.
(iii) 모든 $x \in [0, 1]$와 모든 $t \in [0, 1]$에 대하여 $\sin(\alpha x + g(x)) \ge sin(\alpha x + t)$이다.

(a) $\alpha = 2$**일 때** $g\left(\dfrac{\pi}{4}\right)$**의 값을 구하시오. (5점)**

(b) 위 조건을 만족하는 함수 $g(x)$**가 존재하도록 하는 양수** α**의 값 중에서 가장 큰 값을 구하시오. (10점)**

[문제 3] (35점) 다음 제시문을 읽고 질문에 답하시오.

(가) 함수 $f(x)$가 모든 실수 x에 대하여 $f''(x) \geq 0$이고 어떤 실수 a에서 $f'(a)=0$이면 $x=a$에서 최솟값을 갖는다.

(나) (사잇값 정리] 함수 $f(x)$가 $[a, b]$에서 연속이고 $f(a) \neq f(b)$이라고 하자. $f(a)$와 $f(b)$ 사이의 임의의 k에 대하여 $f(c)=k$인 $c \in (a, b)$가 적어도 하나 존재한다.

(다) (합성함수의 미분법) 미분가능한 두 함수 $y=f(u)$, $u=g(x)$에 대하여 합성함수 $y=f(g(x))$의 도함수는

$$\frac{dy}{dx} = \frac{dy}{du} \times \frac{du}{dx} \quad \text{또는} \quad \{f(g(x))\}' = f'(g(x))g'(x)$$

※ 실수 전체의 집합에서 두 번 미분가능한 함수 $f(x)$가 다음 조건을 만족한다.

(i) 모든 실수 x에 대하여 $2\{f(x)\}^2 + \{f'(x)\}^2 \leq f(x)f''(x)$이다.
(ii) 곡선 $y=f(x)$의 $x=0$에서의 접선은 $y=1$이다.

(3-1) $f(x) > 0$**일 때,**

$$\frac{d^2}{dx^2}\{\ln f(x)\} \geq 2$$

임을 보이시오. (10점)

(3-2) 함수 $g(x)=\{f(x)\}^2$**는 모든 실수** x**에 대하여** $g(x) \geq 1$**임을 보이시오. (10점)**

(3-3) 모든 실수 x**에 대하여**

$$f(x) \geq e^{x^2}$$

임을 보이시오. (15점)

인하대학교
INHA UNIVERSITY

논술답안지(자연계)

※감독자 확인란

모집단위

성 명

수 험 번 호

생년월일 (예 : 050512)

문항 【1】 반드시 해당 문항의 답을 작성해야 함

1

이 줄 아래에 답안을 작성하거나 낙서할 경우 판독이 불가능하여 채점 불가

이 줄 위에 답안을 작성하거나 낙서할 경우 판독이 불가능하여 채점 불가

문항 【2】 반드시 해당 문항의 답을 작성해야 함

2

이 줄 아래에 답안을 작성하거나 낙서할 경우 판독이 불가능하여 채점 불가

이 줄 위에 답안을 작성하거나 낙서할 경우 판독이 불가능하여 채점 불가

문항 【3】 반드시 해당 문항의 답을 작성해야 함

3

이 줄 아래에 답안을 작성하거나 낙서할 경우 판독이 불가능하여 채점 불가

VI. 예시 답안

1. 2024학년도 인하대 수시 논술 (오전)

[문제 1] (35점) 다음 제시문을 읽고 물음에 답하시오.

(가) (접선의 방정식)
곡선 $y=f(x)$위의 점 $(a,\ f(a))$에서의 접선의 방정식은

$$y-f(a)=f'(a)(x-a)$$

(나) (곡선의 오목과 볼록)
함수 $f(x)$가 어떤 구간에서
(i) $f''(x)>0$이면 곡선 $y=f(x)$는 이 구간에서 아래로 볼록하다.
(ii) $f''(x)<0$이면 곡선 $y=f(x)$는 이 구간에서 위로 볼록하다.

(1−1) 모든 실수 x에 대하여 부등식

$$3x+b \le e^x$$

을 만족하는 실수 b의 최댓값을 구하시오. (8점)

(1−2) 실수 a, b는 모든 실수 x에 대하여 부등식

$$ax+b \le e^x$$

을 만족한다. $2a+b$의 값이 최대일 때, b의 값을 구하시오. (12점)

(1−3) 실수 a, b는 모든 실수 x에 대하여 두 부등식

$$ax+b \le e^x, \quad ax+b \le e^{x-3}+6$$

을 만족한다. $2a+b$의 최댓값을 구하시오. (15점)

(1−1)
부등식이 성립하려면 직선 $y=3x+b$가 곡선 $y=e^x$보다 아래에 위치해야 한다. 제시문 (나)에 의해 $y=e^x$이 아래로 볼록이므로 b가 최대인 경우는 직선이 접하는 경우이다. 기울기가 3인 접점의 x좌표는 $\ln 3$이다. 따라서 접선의 방정식은

$$y=3x+3(1-\ln 3)$$

이고 $b=3(1-\ln 3)$이다.
(1−2)
$f(x)=ax+b$라하면 $f(2)=2a+b$이므로 $x=2$에서의 함숫값이 최대인 직선일 때이다. (1−1)과 마찬가지로 제시문 (나)에 의해 $y=e^x$이 아래로 볼록이므로 $x=2$에서의 접선일 때 $2a+b$가 최대이다. 따라서 기울기는 e^2이고

$$f(x)=e^2(x-2)+e^2$$

이므로 $b=-e^2$이다.
(1−3)
(1−2)와 마찬가지로 $f(x)=ax+b$라하면 $f(2)=2a+b$이므로 $x=2$에서의 함숫값이 최대인 직

선일 때이다. 부등식을 만족하기 위해서는 직선 $y=ax+b$가 두 곡선 $y=e^x$, $y=e^{x-3}+6$보다 아래에 위치해야 한다. 제시문 (나)에 의해 그래프의 개형으로부터 두 곡선에 동시에 접할 때 $2a+b$의 값이 최대가된다. $y=e^x$에서의 접점을 $(p,\ e^p)$, $y=e^{x-3}+6$에서의 접점을 $(q,\ e^{q-3}+6)$이라 하면 e^x의 도함수가 e^x이므로 두 점을 잇는 직선의 기울기가 각 점에서의 미분계수와 같으므로

$$e^p=e^{q-3}=\frac{e^p-(e^{q-3}+6)}{p-q}$$

를 얻는다. $p=q-3$이므로 $e^p=2$가 되어 $p=\ln 2$이다. 즉 $y=2(x-\ln 2)+2$일 때 $2a+b$가 최대이며 $2a+b=2(2-\ln 2)+2=6-2\ln 2$이다.

(별해)

(1-1)

$f(x)=e^x-3x-b$라 하면 $f(x)$의 최솟값이 0이상이면 된다.

$f'(x)=e^x-3\ \therefore\ f'(\ln 3)=0$

$x<\ln 3$에서 $f'(x)<0$이고 $x>\ln 3$, $f'(x)>0$이므로 $f(x)$는 $\ln 3$에서 최솟값을 갖는다.

$f(\ln 3)=3-3\ln 3-b\ge 0$이므로 b의 최댓값은 $3-3\ln 3$

(1-2)

① $ax+b\le e^x$이므로 $2a+b\le e^2$ · $y=e^x$와 $y=ax+b$의 관계에 의해 접선일 때 최대

② (1-1)에 의해 기울기가 a인 직선 $ax+b$는 $y=e^x$에 접할 때 $ax+b$가 최대. 접점의 좌표를 t라 하면

$$e^t=a,\quad b=(1-t)e^t,\quad g(t)=2a+b=2e^t+(1-t)e^t=(3-t)e^t$$

따라서 $g'(t)=(2-t)e^t$이므로 $t=2$일 때 $g(t)=2a+b$가 최대이므로 $b=-e^2$

(1-3)

(1-2)를 이용하면, $ax+b\le e^x$에서 $2a+b\le 3a-a\ln a$.

$ax+b\le e^{x-3}+6$으로부터 $2a+b\le 6-a\ln a$.

$\therefore\ 2a+b\le g(a)$

$$g(a)=\begin{cases}6-a\ln a & (2<a)\\ 3a-a\ln a & (0<a\le 2)\end{cases}$$

여기서 $0<a<2$에서 $g'(a)>0$이고, $a>2$에서 $g'(a)<0$이므로

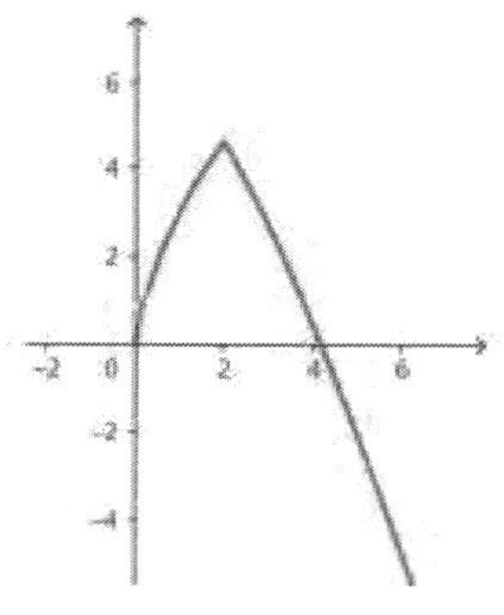

그래프의 개형을 보면 $2a+b$의 최댓값은 $a=2$일 때, $g(2)=6-2\ln 2$

[문제 2] (35점) 다음 제시문을 읽고 물음에 답하시오.

(가) (점과 직선 사이의 거리)
좌표평면 위의 점 $P(x_1,\ y_1)$과 직선 $ax+by+c=0$사이의 거리 d는
$$d=\frac{|ax_1+by_1+c|}{\sqrt{a^2+b^2}}$$
(나) (극대와 극소의 판정)
미분가능한 함수 $f(x)$에 대하여 $f'(a)=0$일 때, $x=a$의 좌우에서
(i) $f'(x)$의 부호가 양에서 음으로 바뀌면 $f(x)$는 $x=a$에서 극대이고, 극댓값 $f(a)$를 갖는다.
(ii) $f'(x)$의 부호가 음에서 양으로 바뀌면 $f(x)$는 $x=a$에서 극소이고, 극솟값 $f(a)$를 갖는다.

(※) $0<t<e$인 실수 t에 대하여 곡선 $y=e^x$ 위의 점 중에서 직선 $y=tx$와의 거리가 최소인 점을 P라 하고 이때 점 P와 직선 $y=tx$ 사이의 거리를 $r(t)$라 하자. 점 P를 중심으로 하고 반지름의 길이가 $r(t)$인 원을 C_t라 하자.

(2−1) 점 P의 좌표와 $r(t)$를 각각 t의 식으로 나타내시오. (8점)

(2−2) $r(t)$가 $t=a$에서 최댓값을 가질 때, 원 C_a가 원점을 지남을 보이시오. (15점)

(2−3) 원 C_a, x축, y축으로 둘러싸인 부분 중 원 C_a의 중심을 포함하는 부분의 넓이를 a의 식으로 나타내시오. (12점)

(2−1)
거리가 최소가 되는 점은 직선 $y=tx$와 평행인 접선을 갖는 곡선 $y=e^x$ 위의 점이므로 $P(\ln t,\ t)$이고 $r(t)$는 점 P와 직선 $y=tx$ 사이의 거리이므로 제시문 (가)에 의해
$$r(t)=\frac{t-t\ln t}{\sqrt{t^2+1}}=\frac{t(1-\ln t)}{\sqrt{t^2+1}}\,(0<t<e)$$
이다.
(2−2)
$r'(t)=\dfrac{-\ln t-t^2}{(t^2+1)\sqrt{t^2+1}}$이므로 $r'(t)=0$을 계산하면 $\ln t=-t^2$을 얻고 이때의 t를 a라 하자.
$0<t<a$에서 $-t^2>\ln t$이므로 $r'(t)>0$이고 $a<t<e$에서 $-t^2<\ln t$이므로 $r'(t)<0$이다.
그러므로 제시문 (나)에 의해 $t=a$에서 $r(t)$는 최댓값 $a\sqrt{a^2+1}$을 갖는다. 원 C_a의 방정식이
$$x^2+2a^2x+y^2-2ay=0$$
이므로 원점을 지난다.
(2−3)
원 C_a의 방정식이 $x^2+2a^2x+y^2-2ay=0$이므로 좌표축과 만나는 점은 $O(0,\ 0)$, $A(0,\ 2a)$, $B(-2a^2,\ 0)$이다. 원 C_a를 좌표평면 위에 나타내면 그림과 같다.

따라서 구하는 넓이는

$$\frac{1}{2}\pi r^2 + \Delta ABO\text{의 넓이} = \frac{1}{2}\pi a^2(a^2+1)+2a^3 = \frac{\pi}{2}a^4+2a^3+\frac{\pi}{2}a^2 = a^2\left(\frac{\pi}{2}a^2+2a+\frac{\pi}{2}\right)$$

이다. (단, 여기서 a**는** $\ln a = -a^2$**인 상수이다.)**

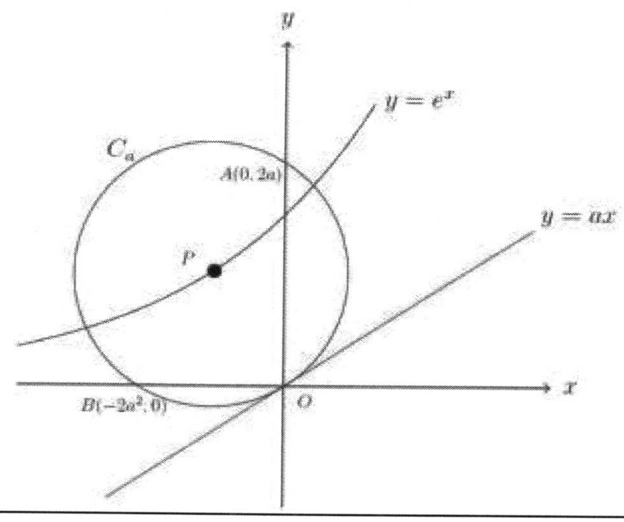

[문제 3] (30점) 다음 제시문을 읽고 물음에 답하시오.

(가) (매개변수로 나타낸 함수의 미분법)

두 함수 $x=f(t)$, $y=g(t)$가 t에 대하여 미분가능하고 $f'(t)\neq 0$이면

$$\frac{dy}{dx}=\frac{\frac{dy}{dt}}{\frac{dx}{dt}}=\frac{g'(t)}{f'(t)}$$

(나) (정적분의 치환적분법)

함수 $f(x)$가 닫힌구간 $[a, b]$에서 연속이고 미분가능한 함수 $x=g(t)$에 대하여 $a=g(\alpha)$, $b=g(\beta)$일 때 도함수 $g'(t)$가 α, β를 포함하는 구간에서 연속이면

$$\int_a^b f(x)dx = \int_\alpha^\beta f(g(t))g'(t)dt$$

(다) 삼각함수의 덧셈정리에 의해 $\cos 2\alpha = \cos^2\alpha - \sin^2\alpha = 2\cos^2\alpha - 1 = 1-2\sin^2\alpha$이므로

$$\cos^2\alpha = \frac{1+\cos 2\alpha}{2},\quad \sin^2\alpha = \frac{1-\cos 2\alpha}{2}$$

(※) $0\le p\le 2\pi$**인 실수** p**에 대하여 두 곡선** $y=(x-p)^2+q$**와** $y=\cos x$**가 오직 한 점에서 만날 때의** q**의 값을** $g(p)$**라 하자. 이때 함수** $g(p)$**는** p**에 대하여 미분가능하다.**

(3−1) 두 곡선이 오직 한 점에서 만날 때, 교점의 x**좌표를** t**라 하자. 이때** p**와** q**를 각각** t**의 식으로 나타내시오. (8점)**

(3−2) $g'\left(\frac{\pi}{4}+\frac{\sqrt{2}}{4}\right)$**의 값을 구하시오. (10점)**

(3－3) 정적분 $\int_0^{2\pi} g(x)dx$의 값을 구하시오. (12점)

(3－1)

한 점에서 만나는 경우 교점에서 접선의 기울기가 일치해야 하므로 두 방정식

$$(t-p)^2+q=\cos t,\ 2(t-p)=-\sin t$$

를 얻는다.

p, q**를 각각** t**에 대하여 풀면**

$$p=t+\frac{\sin t}{2},\ q=\cos t-\left(\frac{\sin t}{2}\right)^2$$

(3－2)

$\frac{dp}{dt}=1+\frac{\cos t}{2}>0$**이므로** $p=\frac{\pi}{4}+\frac{\sqrt{2}}{4}$ **인** t**는** $t=\frac{\pi}{4}$**가 유일하다.**

제시문 (가)를 이용하여 $g'\left(\frac{\pi}{4}+\frac{\sqrt{2}}{4}\right)$**를 구하면**

$$g'\left(\frac{\pi}{4}+\frac{\sqrt{2}}{4}\right)=\frac{q'\left(\frac{\pi}{4}\right)}{p'\left(\frac{\pi}{4}\right)}=-\sin\frac{\pi}{4}=-\frac{\sqrt{2}}{2}$$

(3－3)

제시문 (나)와 (다)를 이용하여 적분을 계산하면

$$\int_0^{2\pi} g(x)dx=\int_0^{2\pi}\left(\cos t-\left(\frac{\sin t}{2}\right)^2\right)\left(1+\frac{\cos t}{2}\right)dt$$

$$=\int_0^{2\pi}\left(\cos t+\frac{\cos^2 t}{2}-\frac{\sin^2 t}{4}-\frac{\sin^2 t\cos t}{8}\right)dt$$

$$=\int_0^{2\pi}\left(\frac{1+\cos 2t}{4}-\frac{1-\cos 2t}{8}-\frac{\sin^2 t\cos t}{8}\right)dt$$

$$=\left[\frac{1}{8}t+\frac{3}{16}\sin 2t-\frac{1}{24}\sin^3 t\right]_0^{2\pi}=\frac{\pi}{4}$$

2. 2024학년도 인하대 수시 논술 (오후)

[문제 1] (30점) 다음 제시문을 읽고 물음에 답하시오.

(가) (정적분의 치환적분법)

함수 $f(x)$가 닫힌구간 $[a, b]$에서 연속이고 미분가능한 함수 $x=g(t)$에 대하여 $a=g(\alpha)$, $b=g(\beta)$일 때 도함수 $g'(t)$가 α, β를 포함하는 구간에서 연속이면

$$\int_a^b f(x)dx=\int_\alpha^\beta f(g(t))g'(t)dt$$

(나) ($\int \frac{f'(x)}{f(x)}dx$꼴의 부정적분)

$$\int \frac{f'(x)}{f(x)}dx = \ln|f(x)| + C$$

(1−1) 정적분 $\int_0^{\pi}((\pi-x)^8 + (\pi-x)^2 + \sin^3 x)dx$의 값을 구하시오. (5점)

(1−2) 닫힌구간 $[0,\ \pi]$에서 연속인 함수 $f(x)$에 대하여 $\int_0^{\pi} xf(\sin x)dx = \frac{\pi}{2}\int_0^{\pi} f(\sin x)dx$가 성립함을 보이시오. (10점)

(1−3) 정적분 $\int_{-\pi}^{\pi} \frac{(x+1)\sin^3 x}{2-\cos^2 x}dx$의 값을 구하시오. (15점)

(1−1)

$u = \pi - x$**라 하면 제시문 (가)를 이용하여 치환적분법을 적용하고, 삼각함수의 성질을 활용하면**

$$\int_0^{\pi}((x-\pi)^8 + (x-\pi)^2 + \sin^3 x)dx = -\int_{\pi}^{0}(u^8 + u^2 + \sin^3(\pi - u))du$$

$$= \int_0^{\pi}(u^8 + u^2 + (1-\cos^2 u)\sin u)du = \int_0^{\pi}(u^8 + u^2 + \sin u)du - \int_0^{\pi}\sin u\cos^2 u du$$

를 얻는다. 여기서 변수 $y = \cos u$**에 대해서 제시문 (가)의 치환적분법을 적용하면**

$\int_0^{\pi}\sin u\cos^2 u du = \int_{-1}^{1} y^2 dy$**가 된다. 따라서 주어진 적분값은**

$$\left[\frac{u^9}{9} + \frac{u^3}{3} - \cos u\right]_0^{\pi} - \left[\frac{y^3}{3}\right]_{-1}^{1} = \frac{\pi^9}{9} + \frac{\pi^3}{3} + \frac{4}{3}$$

(1−2)

$u = \pi - x$**라 하면, 제시문 (가)의 치환적분법에 의해**

$$\int_0^{\pi} xf(\sin x)dx = \int_0^{\pi}(\pi - u)f(\sin(\pi - u))du = \pi\int_0^{\pi} f(\sin u)du - \int_0^{\pi} uf(\sin u)du$$

이고 $\int_0^{\pi} xf(\sin x)dx = \frac{\pi}{2}\int_0^{\pi} f(\sin x)dx$**를 얻는다.**

(1−3)

닫힌구간 $[-\pi,\ \pi]$**에서 함수의 대칭성을 이용하면,**

$$\int_{-\pi}^{\pi}\frac{(x+1)\sin^3 x}{2-\cos^2 x}dx = \int_{-\pi}^{\pi}\frac{x\sin^3 x}{2-\cos^2 x}dx + \int_{-\pi}^{\pi}\frac{\sin^3 x}{2-\cos^2 x}dx = 2\int_0^{\pi}\frac{x\sin^3 x}{2-\cos^2 x}dx$$

이다. (1−2)에서 증명한 식과 제시문 (가)의 치환적분법을 이용하면,

$$2\int_0^{\pi}\frac{x\sin^3 x}{2-\cos^2 x}dx = \pi\int_0^{\pi}\frac{\sin^3 x}{2-\cos^2 x}dx = \pi\int_0^{\pi}\frac{1-\cos^2 x}{2-\cos^2 x}\sin x dx = \pi\int_{-1}^{1}\frac{1-u^2}{2-u^2}du$$

$$= \pi \int_{-1}^{1} \left(1 - \frac{1}{2-u^2}\right) du = 2\pi - \pi \int_{-1}^{1} \frac{1}{(\sqrt{2}+u)(\sqrt{2}-u)} du$$

$$= 2\pi - \frac{\pi}{2\sqrt{2}} \int_{-1}^{1} \left(\frac{1}{\sqrt{2}+u} + \frac{1}{\sqrt{2}-u} \right) du$$

을 얻는다. 여기서 제시문 (나)에 의해

$$2\pi - \frac{\pi}{2\sqrt{2}} \int_{-1}^{1} \left(\frac{1}{\sqrt{2}+u} + \frac{1}{\sqrt{2}-u} \right) du = 2\pi - \frac{\pi}{2\sqrt{2}} \left[\ln|\sqrt{2}+u| - \ln|\sqrt{2}-u| \right]_{-1}^{1}$$

$$= 2\pi - \frac{\pi}{\sqrt{2}} \ln(3+2\sqrt{2})$$

이다.

[문제 2] (35점) 다음 제시문을 읽고 물음에 답하시오.

(가) (두 직선의 수직 조건)

두 직선 $y=mx+n$과 $y=m'x+n'$에서

(i) 두 직선이 서로 수직이면 $mm'=-1$이다.

(ii) $mm'=-1$이면 두 직선은 서로 수직이다.

(나) (음함수의 미분법)

방정식 $f(x, y)=0$에서 y를 x의 함수로 보고 각 항을 x에 대하여 미분하여 $\frac{dy}{dx}$를 구한다.

(2−1) 곡선 $y=x^2$위의 점 중에서 점 $(-5, -1)$과의 거리가 최소인 점의 좌표를 구하시오. (10점)

(2−2) 매개변수 t로 나타낸 곡선 $x=2t+3$, $y=-t-6+\cos\pi t$가 있다. $t=s$일 때 이 곡선 위의 점 P에 대하여 곡선 $y=x^2$ 위의 점 중 P와 거리가 최소인 점을 Q라 하자. 선분 PQ의 길이를 $d(s)$라 할 때, $d'(-4)$의 값을 구하시오. (15점)

(2−3) 점 P는 제 1사분면 위의 점으로 곡선 $y=x^2$ 위에 있지 않고 원 $(x-3)^2+y^2=1$ 위에도 있지 않다. 곡선 $y=x^2$ 위의 점 중 P와 거리가 최소인 점을 Q라 하고, 원 $(x-3)^2+y^2=1$위의 점 중 P와 거리가 최소인 점을 R이라 하자. $\overline{PQ}+\overline{PR}$의 최솟값을 구하시오. (10점)

(2−1)

곡선 $y=x^2$ 위의 점 (t, t^2)과 점 $(-5, -1)$ 사이의 거리의 제곱 함수는

$$f(t)=(t+5)^2+(t^2+1)^2=t^4+3t^2+10t+26$$

이고, $f'(t)=4t^3+6t+10=2(t+1)(2t^2-2t+5)$이다. $t=-1$일 때만이 $f'(t)=0$이므로 가장 가까운 점의 좌표는 $(-1, 1)$이다.

(2−2)

점 P와 가장 가까운 점 Q의 좌표를 (a, a^2)이라 하면, 점 Q에서의 접선과 직선 PQ는 서로 수직이다. 따라서 직선 PQ의 직선의 방정식은 $y=-\frac{1}{2a}(x-a)+a^2$이다. 따라서 점 P의 좌표

$(x,\ y)$는 $2a^3-(2y-1)a-x=0$을 만족하고, 제시문 (나)의 음함수 미분법에 의하여

$$6a^2a'-(2y-1)a'-2y'a-x'=0$$

이다. 한편 $x'=2,\ y'=-1-\pi\sin(\pi s)$이고, $s=-4$일 때 $x'=2,\ y'=-1$이다. 또한 $s=-4$일 때, $x=-5,\ y=-1$이므로 (2-1)에 의해 $a=-1$이다. 따라서

$s=-4$일 때, $6a'-(-3)a'-4=0$이고 $a'=\dfrac{4}{9}$이다.

한편, $\{d(s)\}^2=\overline{PQ}^2=(a-x)^2+(a^2-y)^2$이므로,

$$2d(s)\cdot d'(s)=\frac{d}{ds}(d(s)^2)=2(a-x)\cdot(a'-x')+2(a^2-y)\cdot(2a\cdot a'-y')$$

이고

$$2d(-4)\cdot d'(-4)=2(-1+5)\cdot\left(\frac{4}{9}-2\right)+2(1-(-1))\cdot\left(\left(-2\cdot\frac{4}{9}\right)+1\right)=-\frac{112}{9}+\frac{4}{9}=-12$$

이다. 그리고 $d(-4)=2\sqrt{5}$이므로 $d'(-4)=-\dfrac{12}{4\sqrt{5}}=-\dfrac{3\sqrt{5}}{5}$이다.

(2-3)

최소가 되는 점 $P,\ Q,\ R$이 있다고 하자. 원 $(x-3)^2+y^2=1$의 중심을 S라 하자. 직선 PR은 점 R에서 원 $(x-3)^2+y^2=1$의 접선과 수직이므로, 점 S를 지나야 한다. 따라서 직선 PR은 점 P와 S를 잇는 직선이고, 선분 PR의 길이는 $\overline{PS}-1$이다.

만약 점 $S,\ P,\ Q$가 한 직선 위에 있지 않으면, $\overline{QS}-1<\overline{PQ}+\overline{PS}-1$이다. 따라서 직선 QS 위에 있는 점 중 원 바깥에 있는 점 T를 잡으면, $\overline{QT}+\overline{RT}=\overline{QS}-1<\overline{PQ}+\overline{PS}-1=\overline{PQ}+\overline{PR}$이 되어 모순이다. 따라서 점 $S,\ P,\ Q$는 일직선상에 있어야 하고, $\overline{PQ}+\overline{PR}=\overline{QS}-1$이다. 그러므로 $\overline{QS}$가 최소가 되는 점 Q에 대하여 $\overline{QS}-1$의 값이 최솟값이 된다.

곡선 $y=x^2$ 위의 점 $(b,\ b^2)$과 점 $(3,\ 0)$ 사이의 거리의 제곱은 b^4+b^2-6b+9이고 이를 미분하면 $4b^3+2b-6=2(b-1)(2b^2+2b+3)$이므로 $b=1$에서 거리의 제곱이 최소이다. 즉, 점 $(1,\ 1)$과 $(3,\ 0)$을 잇는 선분 위의 점 중 원 밖의 한 점을 P로 잡으면 $\overline{PQ}+\overline{PR}$이 최소이다. 예를 들면, 점 P로 $\left(\dfrac{3}{2},\ \dfrac{3}{4}\right)$을 선택할 수 있다. 이때 $\overline{PQ}+\overline{PR}=\overline{QS}-1=\sqrt{5}-1$이다.

[문제 3] (35점) 다음 제시문을 읽고 물음에 답하시오.

(가) (평균값 정리)
함수 $f(x)$가 닫힌구간 $[a,\ b]$에서 연속이고 열린구간 $(a,\ b)$에서 미분가능할 때,

$$\frac{f(b)-f(a)}{b-a}=f'(c)$$

인 c가 열린구간 $(a,\ b)$에 적어도 하나 존재한다.

(나) 함수 $f(x)$가 어떤 구간에 속하는 임의의 두 수 $x_1,\ x_2$에 대하여
(i) $x_1<x_2$일 때 $f(x_1)<f(x_2)$이면 함수 $f(x)$는 이 구간에서 증가한다고 한다.
(ii) $x_1<x_2$일 때 $f(x_1)>f(x_2)$이면 함수 $f(x)$는 이 구간에서 감소한다고 한다.

(다) 함수 $f(x)$가 어떤 열린구간에서 미분가능하고, 이 구간의 모든 x에 대하여
(i) $f'(x)>0$이면 $f(x)$는 이 구간에서 증가한다.
(ii) $f'(x)<0$이면 $f(x)$는 이 구간에서 감소한다.

(※) 함수 $f(x)$는 정의역이 양의 실수 전체의 집합이고 이계도함수 $f''(x)$를 갖는다고 하자.

(3-1) 모든 양의 실수 x에 대하여 $f''(x)>0$이면 $0<a<b<c$인 임의의 실수 a, b, c에 대하여

$$\frac{f(b)-f(a)}{b-a}<\frac{f(c)-f(b)}{c-b}$$

임을 보이시오. (7점)

(3-2) 모든 양의 실수 x에 대하여 $f(x)\le x$이고 $f''(x)>0$이면, 모든 양의 실수 x에 대하여 $f'(x)\le 1$임을 보이시오. (20점)

(3-3) 함수 $g(x)=\begin{cases} px^2 & (0<x\le 2) \\ x-\ln x+q & (x>2)\end{cases}$가 모든 양의 실수 x에 대하여 $g(x)\le x$이고 $g''(x)$가 존재하며 $g''(x)>0$을 만족하도록 하는 상수 p, q의 값을 구하시오. (8점)

(3-1)
구간 $(a,\ b)$와 $(b,\ c)$에서 함수 $f(x)$에 제시문 (가)의 평균값 정리를 적용하면
$\frac{f(b)-f(a)}{b-a}=f'(d)$인 $d\in(a,\ b)$와 $\frac{f(c)-f(b)}{c-b}=f'(e)$인 $e\in(b,\ c)$가 존재한다. 이때, $d<e$이고 제시문 (다)에 의해 $f'(d)<f'(e)$이므로 주어진 부등식이 성립한다.
(3-2)
어떤 양의 실수 α에 대하여 $f'(\alpha)>1$이 성립한다고 가정하자. $f'(x)$는 증가하므로 제시문 (가)의 평균값 정리에 의해 $\beta>\alpha$인 모든 β에 대하여 $\frac{f(\beta)-f(\alpha)}{\beta-\alpha}=k\ge f'(\alpha)>1$이다. (3-1)에 의해 $x>\beta$인 임의의 x에 대하여

$$\frac{f(x)-f(\beta)}{x-\beta}>\frac{f(\beta)-f(\alpha)}{\beta-\alpha}=k>1$$

이고 $f(x)>f(\beta)+k(x-\beta)$이다. 따라서 $x>\frac{k\beta-f(\beta)}{k-1}$인 x에 대하여

$$f(x)>f(\beta)+k(x-\beta)>x$$

이므로 $f(x)\le x$에 모순이다. 그러므로 모든 $x>0$에 대하여 $f'(x)\le 1$이다.
(3-3)
$x=2$일 때 미분값이 같아야 하는데 $g(x)=px^2$의 도함수는

$$g'(x)=2px$$

이고 $g(x)=x-\ln x+q$의 도함수는

$$g'(x)=1-\frac{1}{x}$$

이므로 $g'(2)=4p=1-\frac{1}{2}$이어야 한다. 즉, $p=\frac{1}{8}$이다. 한편, $x=2$일 때 함숫값이 같아야 하므로

$$g(2)=\frac{1}{2}=2-\ln 2+q$$

이어야 한다. 따라서 $q=\ln 2-\frac{3}{2}$이다. 그러면 모든 $x>0$에 대하여 $g(x)\le x$이고 $g''(x)>0$이다. 그러므로 $p=\frac{1}{8}$, $q=\ln 2-\frac{3}{2}$일 때, $g(x)$는 (3−2)의 조건을 만족하는 함수이다.

3. 2024학년도 인하대 모의 논술

[문제 1]

(가) 곡선 $y=f(x)$위의 점 $(a,\ f(a))$에서의 접선의 방정식은

$$y-f(a)=f'(a)(x-a)$$

(나) 매개변수로 나타낸 두 함수 $x=f(t)$, $y=g(t)$가 t에 대하여 미분가능하고 $f'(t)\neq 0$이면

$$\frac{dy}{dx}=\frac{\frac{dy}{dt}}{\frac{dx}{dt}}=\frac{g'(t)}{f'(t)}$$

(1-1) 곡선 $y=e^x$위의 한 점 $Q(0,1)$에서 곡선 $y=e^x$의 접선을 l이라 하자. $b<e^a$를 만족하는 좌표평면 위의 한 점 $P(a,b)$에 대해서 선분 PQ는 직선 l과 수직이고, 점 P로부터 직선 l까지의 거리가 1이다. 이 때, 점 P의 좌표를 구하시오. [8점]

(1-2) $v<e^u$를 만족하는 두 실수 u, v에 대하여, 중심이 $(u,\ v)$ 이고 반지름이 1인 원이 곡선 $y=e^x$과 한 점 (t,e^t)에서 만나며 그 점에서의 두 곡선의 접선이 일치할 때, u, v를 t에 대한 식으로 나타내시오. [12점]

(1-3) (1-2)에서 구한 u, v를 $v=f(u)$로 나타낼 때, $u=\frac{\sqrt{2}}{2}$에서 곡선 $v=f(u)$의 접선의 방정식을 구하시오. [15점]

(1-1)

제시문 (가)를 이용하면 직선 l의 방정식은 $y=x+1$이 되므로 직선 l이 x축의 양의 방향과 이루는 각은 $\frac{\pi}{4}$가 된다. 점 Q를 지나고 주어진 조건을 만족하는 점 P를 삼각함수를 이용하여 구하면

$$\left(0+\cos\frac{\pi}{4},\ 1-\sin\frac{\pi}{4}\right)=\left(\frac{1}{\sqrt{2}},\ 1-\frac{1}{\sqrt{2}}\right)$$

이다.

(1-2)

제시문 (가)를 이용하면 점 (t,e^t)에서의 법선의 기울기는 $-e^{-t}$이므로 방정식은

$$y = -e^{-t}(x-t) + e^t$$

이 된다. 교점에서 접선이 일치하기 위해서는 원의 중심 $(u,\ v)$는 법선 위에 위치해야 하므로

$$v - e^t = -e^t(u-t)$$

를 만족한다. 또한 $(t,\ e^t)$과 $(u,\ v)$사이의 거리가 1이므로

$$(u-t)^2 + (v-e^t)^2 = 1$$

이 성립한다. 이 두 식을 연립하면

$$u - t = \pm \frac{1}{\sqrt{1+e^{-2t}}},\ v - e^t = \mp \frac{1}{\sqrt{1+e^{2t}}}\ \textbf{(복호동순)}$$

이 성립한다. 그런데 $v < e^u$이므로,

$$u = t + \frac{1}{\sqrt{1+e^{-2t}}},\ v = e^t - \frac{1}{\sqrt{1+e^{2t}}}$$

(1-3)

(1-1)로부터 $u = \frac{1}{\sqrt{2}}$일 때, $t=0$임을 알 수 있다.

$$\frac{du}{dt} = 1 + \frac{e^{-2t}}{\left(\sqrt{1+e^{-2t}}\right)^3},\ \frac{dv}{dt} = e^t + \frac{e^{2t}}{\left(\sqrt{1+e^{2t}}\right)^3}$$

이므로, $t=0$일 때, $\frac{du}{dt} = 1 + \frac{1}{2\sqrt{2}}$, $\frac{dv}{dt} = 1 + \frac{1}{2\sqrt{2}}$이다. 제시문 (나)를 이용하면 $\frac{dv}{du} = 1$이고 제시문 (가)를 이용하여 직선의 방정식을 구하면 직선의 방정식은 $v = u - \sqrt{2} + 1$이다.

[문제 2]

(가) 미분 가능한 함수 $f(x)$에 대하여 $f'(a) = 0$이고 $x = a$의 좌우에서 부호가 양(+)에서 음(-)으로 바뀌면 $f(x)$는 $x = a$에서 극대이고, 극댓값은 $f(a)$이다.

(나) 함수 $f(x)$의 이계도함수 $f''(x)$가 존재하고 $f'(a) = 0$일 때, $f''(a) < 0$이면 $f(x)$는 $x = a$에서 극대 이고 극댓값은 $f(a)$이다.

(※)구간 $[-1,\ 1]$에서 정의된 함수에 대한 다음 질문에 답하시오.

(2-1) $f(x) = ax + b - \frac{1}{3-x}$이라 하자.

(a) $f'(c) = 0$인 c가 $[-1,\ 1]$에 존재하기 위한 a의 범위를 구하시오. [5점]

(b) $f(-1) = f(1)$이 성립하도록 하는 a의 값을 구하시오. [5점]

(c) $f(-1) = f(1)$일 때, $[-1,\ 1]$에서의 함수 $f(x)$의 최댓값을 구하시오. [5점]

(d) $f(-1) = f(1)$일 때, 모든 $x \in [-1,\ 1]$에 대하여 $|f(x)| < \frac{1}{40}$이 되도록 하는 b의 값의 범위를 구하시오. [10점]

(2-2) 모든 $x \in [-1,\ 1]$에 대하여

$$\left| \frac{1}{3}\left(\frac{1}{9}x^2 + \frac{1}{3}x + 1\right) - \frac{1}{3-x} \right| < \frac{1}{50}$$

임을 보이시오. [10점]

(2-1)

(a) $f'(x)=a-\dfrac{1}{(x-3)^2}=0$**으로부터 이것이 근을 가지려면** $a>0$**이어야 하고 근을 구하면** $c=3-\dfrac{1}{\sqrt{a}}$**이 된다. 이 값이 구간** $(-1,\ 1)$**에 있기 위한** a**의 범위는** $\dfrac{1}{16}<a<\dfrac{1}{4}$**이다.**

(b) $f(-1)=f(1)$**은** $-a+b-\dfrac{1}{4}=a+b-\dfrac{1}{2}$**란 뜻이고, 이것을 풀면**

$$a=\frac{1}{8}$$

을 얻는다.

(c) $a=\dfrac{1}{8}$**일 때,** $c=3-2\sqrt{2}$**에서 도함수** $f'(x)$**의 값은 0이다.** $f(x)$**는 구간** $[-1,\ 3-2\sqrt{2}]$**에서 증가하고 구간** $[3-2\sqrt{2},\ 1]$**에서 감소한다. (또는** $f''(x)=\dfrac{2}{(x-3)^3}<0$**이다.) 따라서** $f(x)$**는** $c=3-2\sqrt{2}$**에서 극댓값이자 최댓값을 갖는다. 그러므로 최댓값은**

$$f(3-2\sqrt{2})=b+\frac{3}{8}-\frac{\sqrt{2}}{2}$$

이다.

(d) 최솟값은 $f(-1)=f(1)=b-\dfrac{3}{8}$**이므로, 부등식**

$$-\frac{1}{40}<b-\frac{3}{8}<b+\frac{3}{8}-\frac{\sqrt{2}}{2}<\frac{1}{40}$$

로부터 다음과 같은 b**의 범위를 얻는다.**

$$\frac{7}{20}<b<\frac{10\sqrt{2}-7}{20}$$

(2-2)

$$\left|\frac{1}{3}\left(\frac{1}{9}x^2+\frac{1}{3}x+1\right)+\frac{1}{x-3}\right|=\left|\frac{x^3}{27(x-3)}\right|\le\frac{|x|}{27|x-3|}$$

이다. 이때, 구간$[-1,\ 1]$**에서** $|x|\le 1$**이고,** $|x-3|\ge 2$**이므로**

$\dfrac{|x|}{27|x-3|}\le\dfrac{1}{27\cdot 2}<\dfrac{1}{50}$**이다.**

[문제 3] 다음 제시문을 읽고 물음에 답하시오. (30점)

(가) [치환적분법] 닫힌구간 $[a,\ b]$에서 연속인 함수 $f(x)$에 대하여 미분가능한 함수 $g(t)$가 $a=g(\alpha)$, $b=g(\beta)$이고, 도함수 $g'(t)$가 α, β를 포함하는 구간에서 연속이면

$$\int_a^b f(x)dx=\int_\alpha^\beta f(g(t))g'(t)dt$$

이다.

(나) 닫힌구간 $[a,\ b]$에서 연속인 두 함수 $f(x)$, $g(x)$가 구간 $[a,\ b]$에서 $f(x) \le g(x)$이면

$$\int_a^b f(x)dx \le \int_a^b g(x)dx$$

이다.

(※) $0 \le t \le \frac{\pi}{4}$인 상수에 대하여 함수 $f(x)$가

$$f(x) = \begin{cases} 2x & (0 \le x \le t) \\ \frac{4t-\pi}{2t-\pi}(x-t)+2t & \left(t < x \le \frac{\pi}{2}\right) \end{cases}$$

로 주어진다.

(3-1) $t = \frac{\pi}{6}$일 때, $\int_0^{\frac{\pi}{2}} \cos f(x)dx$의 값을 구하시오. [5점]

(3-2) $\int_0^{\frac{\pi}{2}} \sin f(x)dx$가 가질 수 있는 최댓값을 구하시오. [10점]

(3-3) 함수 $g(x) : \left[0,\ \frac{\pi}{2}\right] \to \left[0,\ \frac{\pi}{2}\right]$는 연속이고 $0 < x < \frac{\pi}{2}$일 때 미분가능하다. $g(0) = 0$, $g\left(\frac{\pi}{2}\right) = \frac{\pi}{2}$이고 $0 < x < \frac{\pi}{2}$인 모든 실수 x에 대하여 $g'(x) \le 2$를 만족하면

$$\frac{1}{2} \le \int_0^{\frac{\pi}{2}} \cos g(x)dx \le \frac{\pi+2}{4}$$

가 성립함을 보이시오. [15점]

(3-1)

제시문 (가)의 치환적분법에 의해

$$\int_0^{\frac{\pi}{2}} \cos f(x)dx = \int_0^{\frac{\pi}{6}} \cos 2x dx + \int_{\frac{\pi}{6}}^{\frac{\pi}{2}} \cos\left(\frac{x}{2}+\frac{\pi}{4}\right)dx$$

$$= \frac{1}{2}\int_0^{\frac{\pi}{3}} \cos x dx + 2\int_{\frac{\pi}{3}}^{\frac{\pi}{2}} \cos x dx = 2 - \frac{3\sqrt{3}}{4}$$

이다.

(3-2)

$t_1 < t_2$인 두 상수 t_1, t_2에 대하여 $t = t_1$일 때 $f(x)$를 $f_1(x)$라 하고 $t = t_2$일 때 $f(x)$를 $f_2(x)$라 하면, 구간 $\left[0,\ \frac{\pi}{2}\right]$에서 $f_1(x) \le f_2(x)$이다. 또한 $0 \le f_1(x)$, $f_2(x) \le \frac{\pi}{2}$이고 sin은 $\left[0,\ \frac{\pi}{2}\right]$에서 증가함수이므로 $\sin f_1(x) \le sin f_2(x)$이다.

그러므로 $\int_0^{\frac{\pi}{2}} \sin f(x)dx$는 t가 증가하면 증가한다.

따라서 $\int_0^{\frac{\pi}{2}} \sin f(x)dx$의 최댓값은 $t=\frac{\pi}{4}$일 때, $\int_0^{\frac{\pi}{4}} \sin 2x dx + \int_{\frac{\pi}{4}}^{\frac{\pi}{2}} dx = \frac{1}{2} + \frac{\pi}{4}$이다.

(3-3)

$t=\frac{\pi}{4}$일 때, $0 \le x \le \frac{\pi}{2}$인 모든 실수 x에 대하여 $g(x) \le f(x)$를 만족한다.

그러므로

$$\int_0^{\frac{\pi}{2}} \cos g(x)dx \ge \int_0^{\frac{\pi}{2}} \cos f(x)dx = \int_0^{\frac{\pi}{4}} \cos 2x dx + \int_{\frac{\pi}{4}}^{\frac{\pi}{2}} \cos\frac{\pi}{2} dx = \frac{1}{2}$$

이다.

또한 $h(x) = \frac{\pi}{2} - g\left(\frac{\pi}{2} - x\right)$로 두면 $h(0)=0$, $h\left(\frac{\pi}{2}\right) = \frac{\pi}{2}$, $h'(x) \le 2$를 만족한다.

그러므로 $t=\frac{\pi}{4}$일 때, $0 \le x \le \frac{\pi}{2}$인 모든 실수 x에 대하여 $h(x) \le f(x)$를 만족하고,

$$\int_0^{\frac{\pi}{2}} \cos g(x)dx = \int_0^{\frac{\pi}{2}} \sin h(x)dx \le \int_0^{\frac{\pi}{2}} \sin f(x)dx = \int_0^{\frac{\pi}{4}} \sin 2x dx + \int_{\frac{\pi}{4}}^{\frac{\pi}{2}} \sin\frac{\pi}{2} dx = \frac{\pi+2}{4}$$

이다.

4. 2023학년도 인하대 수시 논술 (오전)

[문제 1] (35점) 다음 제시문을 읽고 물음에 답하시오.

이차방정식 $ax^2+bx+c=0 (a \ne 0)$의 두 근을 α, β라 하면

$$\alpha+\beta = -\frac{b}{a}, \quad \alpha\beta = \frac{c}{a}$$

이다.

(1-1) 실수 α, $\beta(\alpha<\beta)$에 대하여 $\beta-\alpha=k$라 할 때, 곡선 $y=(x-\alpha)(x-\beta)$와 x축으로 둘러싸인 영역의 넓이를 k의 식으로 나타내시오. [10점]

(1-2) 자연수 m에 대하여 곡선 $y=x^2$과 직선 $y=mx+\frac{51}{4}$로 둘러싸인 영역의 넓이 S를 m의 식으로 나타내시오. [10점]

(1-3) (1-2)에서 구한 S가 유리수가 되는 자연수 m을 모두 구하시오. [15점]

(1-1)

$\beta+\alpha=-a$, $\beta\alpha=b$라 하면 근의 공식으로부터

$k=\sqrt{a^2-4b}$이고 $\beta^2-\alpha^2=(\beta+\alpha)(\beta-\alpha)=-ak$이다.

$\beta^3-\alpha^3=(\beta-\alpha)\left((\beta+\alpha)^2-\beta\alpha\right)=k(a^2-b)$이므로 구하는 넓이는

$$\int_\alpha^\beta (-x^2-ax-b)dx = -\frac{1}{3}(\beta^3-\alpha^3) - \frac{a}{2}(\beta^2-\alpha^2) - b(\beta-\alpha)$$
$$= -\frac{1}{3}k(a^2-b) + \frac{a}{2}\cdot ak - bk = \frac{1}{6}k(a^2-4b) = \frac{1}{6}k^3$$

이다.

[별해] 구하고자 하는 넓이는

$$-\int_{\alpha}^{\beta}(x-\alpha)(x-\beta)dx = -\int_{0}^{\beta-\alpha}x(x-\beta+\alpha)dx = \frac{-(\beta-\alpha)^3}{3}+\frac{(\beta-\alpha)^2}{2}=\frac{k^3}{6}$$

이다.

(1-2)

$x^2-mx-\frac{51}{4}=0$**의 두 근은** $x=\frac{m\pm\sqrt{m^2+51}}{2}$**이므로** $\beta-\alpha=\sqrt{m^2+51}$**이다. 따라서**

(1-1)에 의해 $S=\frac{1}{6}(m^2+51)^{\frac{3}{2}}$ **이다.**

(1-3)

자연수 m**에 대해** $\frac{1}{6}(m^2+51)^{\frac{3}{2}}$**이 유리수가 되려면** $\sqrt{m^2+51}$**이 정수가 되어야 한다.**

$\sqrt{m^2+51}=M$**이라 하면,** $M^2-m^2=51$**을 얻는다. 즉,** $(M+m)(M-m)=51=3\times17$**이다. 이때** $M+m>M-m$**이므로**

(i) $M-m=3$**인 경우:** $M+m=17$**이 되고 따라서** $m=7$**이다.**

(ii) $M-m=1$**인 경우:** $M+m=51$**이 되고 따라서** $m=25$**이다.**

따라서 $m=7,\ 25$**이다.**

[문제 2] (30점) 다음 제시문을 읽고 물음에 답하시오.

(가) [부분적분법] 두 함수 $f(x)$, $g(x)$가 미분가능할 때

$$\int f(x)g'(x)dx = f(x)g(x)-\int f'(x)g(x)dx$$

이다.

(나) $\int x^2e^x dx=(x^2-2x+2)e^x+C$이다.

(※)함수 $f(x)=(x-2)^2e^x$과 닫힌구간 $[a,\ b]$에서 $g(x)\geq f(x)$인 일차함수 $g(x)$에 대하여

$$S=\int_a^b (g(x)-f(x))dx$$

라 하자.

(2-1) 점 $(2,\ 0)$을 지나고 곡선 $y=f(x)$에 접하는 직선의 방정식을 모두 구하시오. [10점]

(2-2) a, $b(a<b)$가 방정식 $f'(x)=0$의 두 근이고 $g(x)=6-3x$일 때, S의 값을 구하시오. [10점]

(2-3) $a=-1$, $b=2$일 때, S가 최소가 되는 $g(x)$를 구하고 이때의 S의 값을 구하시오. [10점]

(2-1)

곡선 $y=f(x)$**위의 점** $(t,\ f(t))$**에서의 접선은**

$$y-(t-2)^2e^t=t(t-2)e^t(x-t)$$

이다. 이 직선이 $(2,\ 0)$**을 지나므로** $t=1$**이거나** $t=2$**이다.**

따라서 구하고자 하는 직선은

$$y=0, \quad y=-ex+2e$$

이다.

(2-2)

$f'(x)=x(x-2)e^x$**이므로** $a=0,\ b=2$**이다. 제시문 (가)의 부분적분법을 이용하면**

$$\int xe^x dx=(x-1)e^x+C$$

이므로 제시문 (나)에 의해

$$\int (x-2)^2 e^x dx=(x^2-6x+10)e^x+C$$

이다. 그러므로

$$S=\int_0^2 [6-3x-(x-2)^2 e^x]dx=\left[6x-\frac{3}{2}x^2-(x^2-6x+10)e^x\right]_0^2=16-2e^2$$

이다.

(2-3)

S**가 최소일 때, 직선** $y=g(x)$**는 곡선** $y=f(x)$**에 접하므로** $g(x)=f(t)+f'(t)(x-t)$**로 쓸 수 있다. (2-1) 의 결과와 함수** $y=f(x)$**의 그래프에 의해** $-1 \le t \le 1$**이다.**

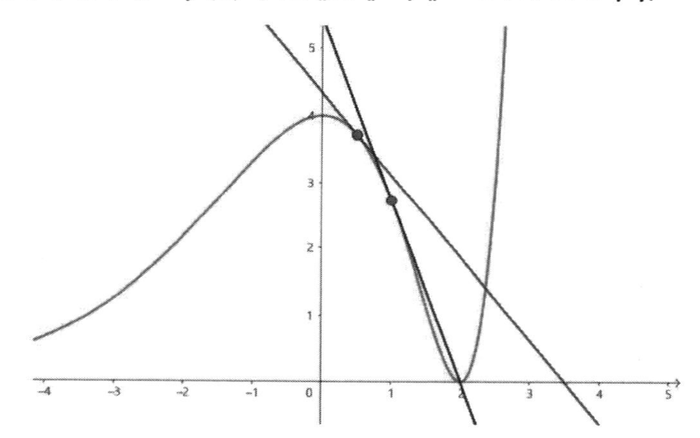

한편 $g(x)=f(t)+f'(t)(x-t)$**일 때의** S**를** $h(t)$**로 두면**

$$h(t)=\int_{-1}^2 [f(t)+f'(t)(x-t)-f(x)]dx=3f(t)+\left(-3t+\frac{3}{2}\right)f'(t)-\int_{-1}^2 f(x)dx$$

이고

$$\frac{dh}{dt}=\left(-3t+\frac{3}{2}\right)f''(t)=-3\left(t-\frac{1}{2}\right)(t^2-2)e^t$$

이다.

따라서 S**는** $t=\dfrac{1}{2}$**일 때 최솟값**

$$3f\left(\frac{1}{2}\right)-\int_{-1}^2 f(x)dx=\frac{27}{4}\sqrt{e}-[(x^2-6x+10)e^x]_{-1}^2=\frac{27}{4}\sqrt{e}-2e^2+\frac{17}{e}$$

을 갖는다.

(별해) $g(x)$**가 일차식이므로** $\int_{-1}^{2} g(x)dx = 3g\left(\frac{1}{2}\right)$**이다. 그러므로**

$$S = 3g\left(\frac{1}{2}\right) - \int_{-1}^{2} f(x)dx \ge 3f\left(\frac{1}{2}\right) - \int_{-1}^{2} f(x)dx = \frac{27}{4}\sqrt{e} - 2e^2 + \frac{17}{e}$$

이다. $g(x) = f\left(\frac{1}{2}\right) + f'\left(\frac{1}{2}\right)\left(x - \frac{1}{2}\right)$**이면** $g\left(\frac{1}{2}\right) = f\left(\frac{1}{2}\right)$**이고 함수** $y = f(x)$**의 그래프와 (2-1)의 결과에 의해 구간** $[-1,\ 2]$**에서** $g(x) \ge f(x)$**이므로 위 부등식에서 등호가 성립한다.**

따라서 S**의 최솟값은** $\frac{27}{4}\sqrt{e} - 2e^2 + \frac{17}{e}$**이다.**

[문제 3] (35점) 다음 제시문을 읽고 물음에 답하시오.

[평균값 정리] 함수 $f(x)$가 닫힌구간 $[a,\ b]$에서 연속이고 열린구간 $(a,\ b)$에서 미분가능할 때, $\frac{f(b) - f(a)}{b - a} = f'(c)$인 c가 열린구간 $(a,\ b)$에 적어도 하나 존재한다.

(※)함수

$$f(x) = \begin{cases} -x^2 + 4x & (x \ge 0) \\ \dfrac{x^2}{4} & (x < 0) \end{cases}$$

에 대하여 다음 질문에 답하시오.

(3-1) 다음 조건을 만족하는 실수 a의 값의 범위를 구하시오. [10점]

$s < a < t$인 모든 실수 $s,\ t$에 대하여 $f(s) > f(a) > f(t)$이다.

(3-2) 실수 전체의 집합에서 정의된 함수 $g(x)$가 모든 실수 t에 대하여 $g(t) = \lim_{x \to t+} f'(x)$를 만족한다. 다음 조건을 만족하는 실수 k의 값의 범위를 구하시오. [10점]

함수 $|g(x) - k|$는 닫힌구간 $[-1,\ 1]$에서 최솟값을 갖지 않는다.

(3-3) 다음 조건을 만족하는 두 정수 $a,\ b(a < b)$의 순서쌍 $(a,\ b)$를 모두 구하시오. [15점]

(3-3)
$\frac{f(b) - f(a)}{b - a} = \lim_{x \to c+} f'(x)$이고 $a < c < b$인 실수 c가 존재하지 않는다.

(3-1)
조건을 만족시키려면 $f(x)$**는** a**를 포함한 구간에서 감소해야 하므로** $a < 0$ **또는** $a > 2$**이어야 한다. 그런데** $-4 \le a < 0$**이면** $f(a) \le f(2)$**이고,** $2 < a \le 4$**이면** $f(0) \le f(a)$**이므로 조건을 만족하지 않는다. 한편** $a < -4$ **또는** $a > 4$**이면 문제의 조건을 만족하므로 구하려는 범위는** $a < -4$ **또는** $a > 4$**이다.**

함수 $y=f(x)$의 그래프는 아래와 같다.

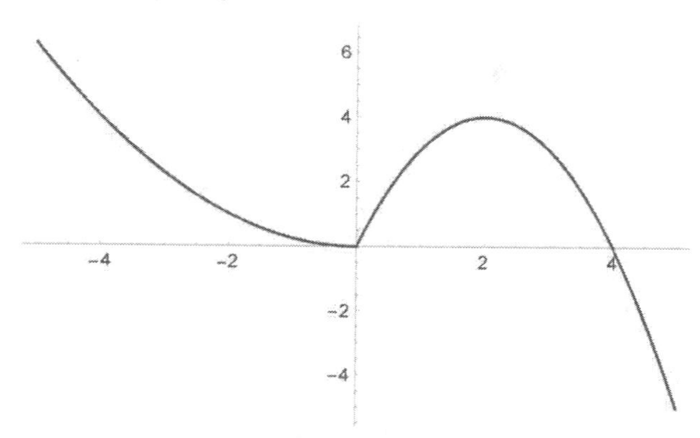

(3−2)

함수 $y=g(x)$의 그래프는 다음과 같다.

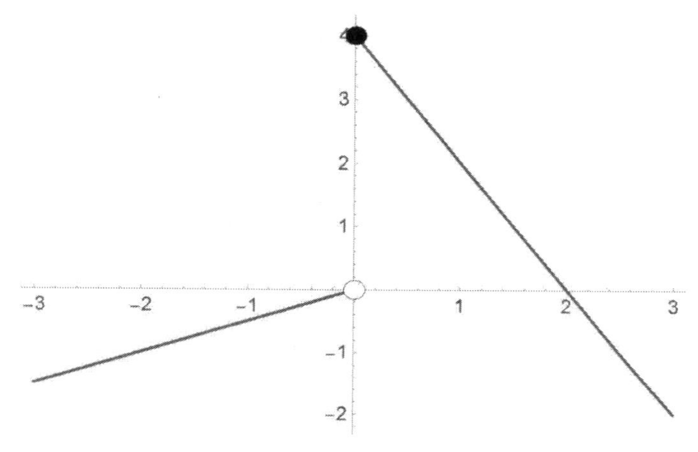

문제의 조건을 만족하려면 구간 $[-1,\ 1]$에서 함수 $g(x)$의 그래프 위의 점 또는 점 $(0,\ 0)$중에서 직선 $y=k$에 가장 가까운 점이 $(0,\ 0)$하나여야 한다. 따라서 구하려는 범위는 $0\le k<1$이다. 예를 들어 $k=\dfrac{1}{2}$이면 $|g(x)-k|$의 그래프는 다음과 같은 모양이다.

k가 이 범위 안에 있지 않다면 구간 $[-1,\ 1]$에서 $g(x)$의 최솟값은 $k<-\dfrac{1}{2}$이면 $-\dfrac{1}{2}-k$이고, $-\dfrac{1}{2}<k<0$이면 0, $1\le k\le 2$이면 $2-k$, $2<k\le 4$이면 0, $k>4$이면 $k-4$이다.

$a<b\le 0$또는 $0\le a<b$이면 평균값의 정리에 의하여 문제의 조건은 성립하지 않는다. 따라서 문제의 조건을 만족하려면 $a<0,\ b>0$이어야 한다.

$a<0,\ b>2$이면 기울기 $\dfrac{f(b)-f(a)}{b-a}$는

두 실수 $\dfrac{f(b)-f(0)}{b-0}=\dfrac{f(b)}{b}$와 $\dfrac{f(0)-f(a)}{0-a}=\dfrac{f(a)}{a}$사이의 값이다. (또는 두 값이 같은 경우 두 값과 같다.) 평균값 정리에 의하여 두 실수는 각각 $g(c_1),\ g(c_2)$인 $a<c_1<0,\ 0<c_2<b$와

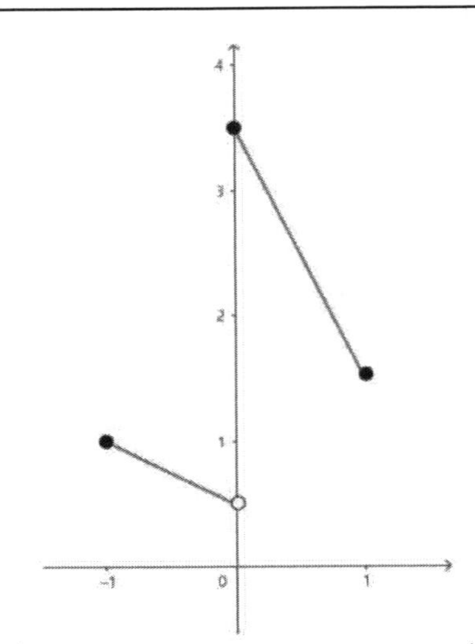

같은데, (3-2)의 함수 $y=g(x)$의 그래프로부터 이 두 실수 $g(c_1)$, $g(c_2)$사이에 있는 어떠한 값도 어떤 $g(c)$ $(a<c<b)$의 값과 같다.

따라서 (3-2)의 함수 $y=g(x)$의 그래프로부터 문제의 조건을 만족하려면 $0<b\le 2$, $a<0$이고 $0\le \dfrac{f(b)-f(a)}{b-a}\le -2b+4$이어야 한다. $b=1$인 경우 $a=-1$, -2, -3가 가능하고, $b=2$인 경우 $a=-4$이다.

따라서 구하려는 순서쌍은 $(-4,\ 2)$, $(-3,\ 1)$, $(-2,\ 1)$, $(-1,\ 1)$이다.

5. 2023학년도 인하대 수시 논술 (오후)

[문제 1] (30점) 다음 제시문을 읽고 물음에 답하시오.

[두 직선의 수직 조건] 두 직선 $y=mx+n$과 $y=m'x+n'$에서
 (i) 두 직선이 서로 수직이면 $mm'=-1$이다.
 (ii) $mm'=-1$이면 두 직선은 서로 수직이다.

※ 좌표평면에서 원점을 O라 하자. 실수 $t(t\ge 1)$에 대하여 함수 $f(x)=e^{-x}$의 그래프 위의 한 점 $P(t,\ e^{-t})$에서의 접선이 x축과 만나는 점을 Q라 하고, 점 P를 지나고 접선에 수직인 직선이 x축과 만나는 점을 R이라 하자.

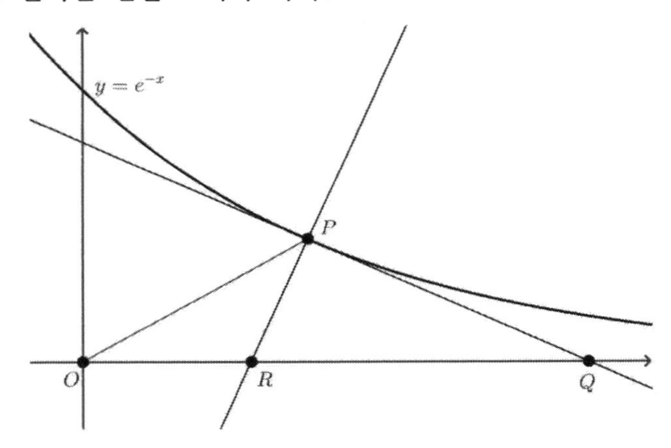

(1-1) 삼각형 OPQ의 넓이 $A(t)$를 t의 식으로 나타내시오. [10점]

(1-2) $(2t-1)A(t)$의 최댓값을 구하시오. [10점]

(1-3) 삼각형 OPQ의 내접원의 반지름을 r이라 하고, 삼각형 PQR의 넓이를 S라 할 때, $\lim_{t\to\infty}\frac{r}{S}$ 의 값을 구하시오. [10점]

(1-1)

직선 PQ의 기울기는 $-e^{-t}$이고, $(t,\ e^{-t})$를 지나므로 직선 PQ의 방정식은 $y=-e^{-t}(x-t)+e^{-t}$이 되고, Q의 좌표는 $(t+1,\ 0)$이 된다. 따라서 삼각형 OPQ의 넓이 $A(t)$는 $A(t)=\frac{(t+1)e^{-t}}{2}$이 된다.

(1-2)

함수 $g(t)=(2t-1)A(t)=\frac{1}{2}(2t-1)(t+1)e^{-t}=\frac{1}{2}(2t^2+t-1)e^{-t}$이라 하면

$$g'(t)=\frac{1}{2}(2-t)(1+2t)e^{-t}$$

이므로 $1\le t<2$에서 $g'(t)>0$이고 $2<t$에서 $g'(t)<0$이므로 $t=2$에서 최댓값을 갖는다.

따라서 $g(2)=\frac{9}{2e^2}$가 최댓값이 된다.

(1-3)

선분 OP의 길이는 $\sqrt{t^2+(e^{-t})^2}$, 선분 PQ의 길이는 $\sqrt{1+(e^{-t})^2}$, 선분 OQ의 길이는 $t+1$이다.

삼각형 OPQ의 넓이는 $\frac{(t+1)e^{-t}}{2}$이고 내접원의 반지름을 이용하여 삼각형 OPQ의 넓이를 표현하면 $\frac{1}{2}r(\overline{OP}+\overline{PQ}+\overline{QO})=\frac{(t+1)e^{-t}}{2}$이므로 $r=\frac{(t+1)e^{-t}}{\left(\sqrt{t^2+(e^{-t})^2}+\sqrt{1+(e^{-t})^2}+t+1\right)}$이다.

직선 PR은 직선 PQ에 수직이므로 제시문에 의하여 직선 PR의 기울기는 e^t이고 점 $P(t,\ e^{-t})$을 지나므로 직선 PR의 방정식은 $y=e^t(x-t)+e^{-t}$이다. 점 R의 좌표는 $(t-e^{-2t},\ 0)$이다. 그러므로 선분 RQ의 길이는 $1+e^{-2t}$이므로 삼각형 PQR의 넓이는 $S=\frac{(1+e^{-2t})e^{-t}}{2}$이다.

따라서 구하고자 하는 극한은

$$\lim_{t\to\infty}\frac{r}{S}=\lim_{t\to\infty}\frac{2(t+1)}{\left(\sqrt{t^2+(e^{-t})^2}+\sqrt{1+(e^{-t})^2}+t+1\right)(1+e^{-2t})}=1$$

이다.

(별해) 직선 PR은 직선 PQ에 수직이므로 제시문에 의하여 직선 PR의 기울기는 e^t이고 점 $P(t,\ e^{-t})$을 지나므로 직선 PR의 방정식은 $y=e^t(x-t)+e^{-t}$이므로 점 R의 좌표는 $(t-e^{-2t},\ 0)$이다.

그러므로 $\overline{RQ}=(t+1)-(t-e^{-2t})=1+e^{-2t}$이다.

삼각형의 넓이를 내접원의 반지름에 대하여 표현하면 $\frac{1}{2}r(\overline{OP}+\overline{PQ}+\overline{RQ})$이고,

$\lim_{t\to\infty}\frac{\overline{OP}+\overline{PQ}}{\overline{OQ}}=1$이므로 점 P에서 x축까지의 거리를 h라 하면

$$\lim_{t\to\infty}\frac{r}{S}=\lim_{t\to\infty}\frac{\frac{\overline{OQ}\cdot h}{\overline{OP}+\overline{PQ}+\overline{OQ}}}{\frac{1}{2}\overline{RQ}\cdot h}=\frac{\frac{1}{2}}{\frac{1}{2}\cdot 1}=1$$

이다.

[문제 2] (35점) 다음 제시문을 읽고 물음에 답하시오.

(가) 계수가 실수인 삼차다항식 x^3+ax^2+bx+c가 실수 $\alpha,\ \beta,\ \gamma$에 대해 $(x-\alpha)(x-\beta)(x-\gamma)$로 인수분해 되는 경우, 삼차방정식 $x^3+ax^2+bx+c=0$은 세 실근 $\alpha,\ \beta,\ \gamma$를 갖는다고 한다. (단, $\alpha,\ \beta,\ \gamma$의 값이 서로 다를 필요는 없다.)

(나) 계수가 실수인 삼차방정식 $x^3+ax^2+bx+c=0$이 세 실근 $\alpha,\ \beta,\ \gamma$를 가지면, 등식

$$\begin{aligned}x^3+ax^2+bx+c&=(x-\alpha)(x-\beta)(x-\gamma)\\&=x^3-(\alpha+\beta+\gamma)x^2+(\alpha\beta+\beta\gamma+\gamma\alpha)x-\alpha\beta\gamma\end{aligned}$$

가 성립하므로 근과 계수 사이에는 다음과 같은 관계가 성립한다.

$$\alpha+\beta+\gamma=-a,\ \alpha\beta+\beta\gamma+\gamma\alpha=b,\ \alpha\beta\gamma=-c$$

(다) 함수 $y=(x-\alpha)^2(x-\beta)$ $(\alpha\neq\beta)$의 그래프와 x축으로 둘러싸인 영역의 넓이는 $\frac{(\alpha-\beta)^4}{12}$이다.

(2-1) 곡선 $y=3(x+4)^2+q$와 곡선 $y=x^3$이 한 점에서만 만나도록 하는 실수 q의 값의 범위를 구하시오. [10점]

(2-2) 실수 $p,\ q$에 대하여 곡선 $y=3(x-p)^2+q$와 곡선 $y=x^3$이 x좌표가 1보다 큰 점에서 만나고, 그 교점에서 공통의 접선을 갖는다.

(a) 두 곡선의 모든 교점의 x좌표를 p의 식으로 나타내시오. [10점]

(b) 두 곡선으로 둘러싸인 영역의 넓이를 A라 할 때, $\lim_{p\to-\infty}\frac{q}{A}$의 값을 구하시오. [15점]

(2-1)

두 함수의 그래프가 한 교점에서 만나는 경우는 방정식 $x^3-3(x+4)^2-q=0$이 한 실근만을 갖는 경우와 동치이다. 또한 이는 상수함수 $y=q$의 그래프와 함수 $y=x^3-3(x+4)^2$의 그래프가 한 점에서 만나는 경우와 같다. 즉, 실수 q의 값은 함수 $y=x^3-3(x+4)^2$의 극댓값보다 크거나 극솟값보다 작아야 한다.

$$y'=3(x^2-2x-8)=3(x-4)(x+2)=0$$

이므로 함수 $y=x^3-3(x+4)^2$**는** $x=-2$**에서 극댓값** -20, $x=4$**에서 극솟값** -128**을 각각 갖는다. 따라서 구하고자 하는** q**의 값의 범위는** $q<-128$**또는** $q>-20$**이다.**

(2-2)

(a) $(2-1)$**에서와 같이 두 그래프가** $x=t$**에서 동일한 접선을 갖는 경우,** $3t^2=6(t-p)$**을 만족하고** $t>1$**이 므로** $t=1+\sqrt{1-2p}$**이다. 제시문 (가), (나)로부터 세 근의 합은 반드시 3이어야 한다. 중근이** $1+\sqrt{1-2p}$**이므로 나머지 한 근은** $1-2\sqrt{1-2p}$**이다. 따라서 교점의** x**좌표는** $1+\sqrt{1-2p}$, $1-2\sqrt{1-2p}$**가 된다.**

(b) 제시문 (나)로부터 $(1+\sqrt{(1-2p})^2(1-2\sqrt{1-2p})=q+3p^2$**이므로**
$q=(1+\sqrt{1-2p})^2(1-2\sqrt{1-2p})-3p^2$**이다. 또한 두 근의** p**에 관한 식으로부터 제시문 (다)에 의해** $A=\dfrac{(1+\sqrt{1-2p}-(1-2\sqrt{1-2p}))^4}{12}=\dfrac{27(1-2p)^2}{4}$**을 얻는다.**

따라서 $\lim\limits_{p\to-\infty}\dfrac{q}{A}=\lim\limits_{p\to-\infty}\dfrac{4\{(1+\sqrt{1-2p})^2(1-2\sqrt{1-2p})-3p^2\}}{27(1-2p)^2}=\dfrac{4\cdot(-3)}{27\cdot 4}=-\dfrac{1}{9}$

[문제 3] (35점) 다음 제시문을 읽고 물음에 답하시오.

(가) [부분적분법] 두 함수 $f(x)$, $g(x)$가 미분가능할 때

$$\int f(x)g'(x)dx=f(x)g(x)-\int f'(x)g(x)dx$$

이다.

(나) 두 번 미분가능한 함수 $f(x)$가 어떤 구간에서

$f''(x)>0$이면 곡선 $y=f(x)$는 그 구간에서 아래로 볼록하고,

$f''(x)<0$이면 곡선 $y=f(x)$는 그 구간에서 위로 볼록하다.

(※) $0\le t<\pi$인 실수 t에 대하여 함수 $f(x)$를

$$f(x)=\begin{cases}(\sin t)x & (0\le x\le t)\\ \dfrac{t\sin t}{t-\pi}(x-\pi) & (t<x\le\pi)\end{cases}$$

로 정의할 때, $S=\int_0^{\pi}|f(x)-x\sin x|dx$라 하자.

(3-1) 닫힌구간 $[0,\ \pi]$에서 x에 대한 방정식 $f(x)-x\sin x=0$의 서로 다른 해의 개수를 $g(t)$라 할 때, $g(t)=4$를 만족하는 t의 값의 범위를 구하시오. [10점]

(3-2) $t=\dfrac{\pi}{4}$일 때 S의 값을 구하시오. [10점]

(3-3) S의 최댓값을 구하시오. [15점]

(3-1)

$y=x\sin x$**일 때,** $y'=\sin x+x\cos x$**이다.**

$y'=0$**이면** $\tan x=-x$**이므로** $\sin\alpha+\alpha cos\alpha=0$**인** $\alpha\in\left(\dfrac{\pi}{2},\ \pi\right)$**가 존재한다.**

마찬가지로 $y'' = 2\cos x - x\sin x$이고 $2\cos\beta - \beta sin\beta = 0$인 $\beta \in \left(0,\ \frac{\pi}{2}\right)$가 존재한다.

따라서 그래프의 개형은 다음과 같다.

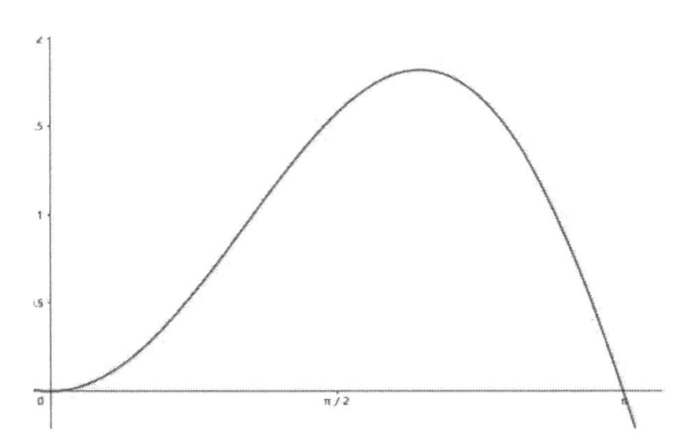

점 $(0,\ 0)$을 지나고 곡선 $y = x\sin x$에 접하는 직선을 구해보자. 곡선 $y = x\sin x$의 $x = t$에서의 접선은 $y - t\sin t = (\sin t + t\cos t)(x - t)$이고, $(0,\ 0)$을 지나므로 $t^2\cos t = 0$이고 $t = 0,\ \frac{\pi}{2},\ \frac{3\pi}{2},\ \cdots$이다.

따라서 그래프의 개형으로부터 $g(t) = 4$인 t의 범위는 $\frac{\pi}{2} < t < \pi$이다.

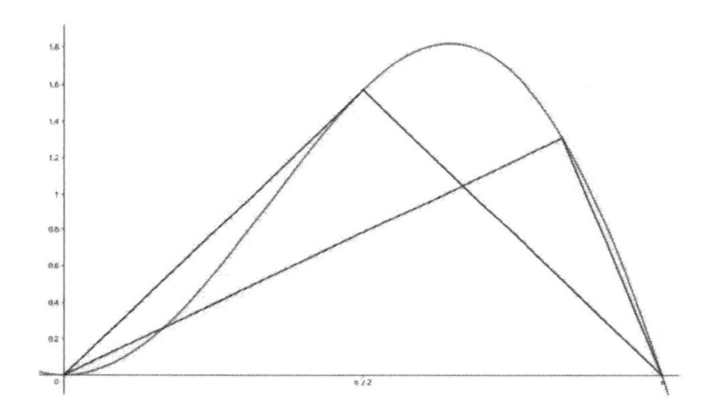

(3-2)

제시문 (가)에 의해 $\int x\sin x dx = -x\cos x + \sin x + C$이므로

$$S = \int_0^{\frac{\pi}{4}} \left(\frac{\sqrt{2}}{2}x - x\sin x\right)dx + \int_{\frac{\pi}{4}}^{\pi} \left\{x\sin x + \frac{\sqrt{2}}{6}(x - \pi)\right\}dx$$

$$= \left[\frac{\sqrt{2}}{4}x^2 + x\cos x - \sin x\right]_0^{\frac{\pi}{4}} + \left[-x\cos x + \sin x + \frac{\sqrt{2}}{12}(x - \pi)^2\right]_{\frac{\pi}{4}}^{\pi}$$

$$= -\frac{\sqrt{2}}{32}\pi^2 + \left(\frac{\sqrt{2}}{4} + 1\right)\pi - \sqrt{2}$$

이다.

(3-3)

$t=t_1>\frac{\pi}{2}$**이면 함수** $y=f(x)$**의 그래프는 곡선** $y=x\sin x$**와** $x=t_2\left(0<t_2<\frac{\pi}{2}\right)$**일 때 만난다. 그래프에 의해** $t=t_2$**일 때의** S**는** $t=t_1$**일 때의** S**보다 크다. 그러므로** S**는** $0\le t\le\frac{\pi}{2}$**일 때 최댓값을 갖는다.**

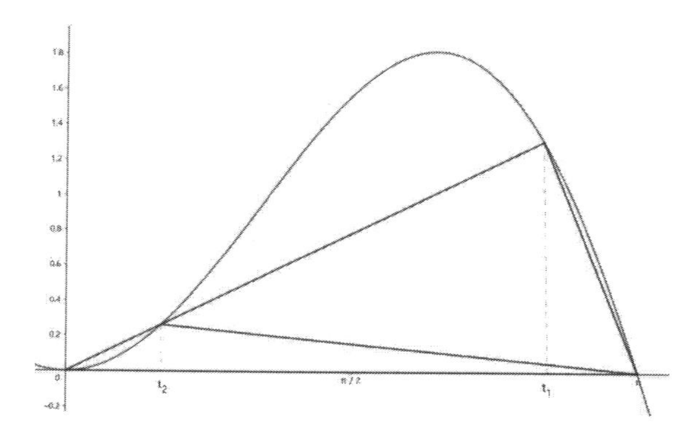

$0\le t\le\frac{\pi}{2}$**이면** S**는**

$$S=\int_0^t\{(\sin t)x-x\sin x\}dx+\int_t^\pi\left\{x\sin x-\frac{t\sin t}{t-\pi}(x-\pi)\right\}dx$$
$$=t^2\sin t+2t\cos t-\frac{\pi t}{2}\sin t-2\sin t+\pi$$

이므로, $0<t<\frac{\pi}{2}$**일 때** $\frac{dS}{dt}=t\left(t-\frac{\pi}{2}\right)\cos t-\frac{\pi}{2}\sin t<0$**이다.**

따라서 S**는** $t=0$**일 때 최댓값** π**를 갖는다.**

[별해] $t=t_1>\frac{\pi}{2}$**이면 함수** $y=f(x)$**의 그래프는 곡선** $y=x\sin x$**와** $x=t_2\left(0<t_2<\frac{\pi}{2}\right)$**일 때 만난다. 그래프에 의해** $t=t_2$**일 때의** S**는** $t=t_1$**일 때의** S**보다 크다. 그러므로** S**는** $0\le t\le\frac{\pi}{2}$**일 때 최댓값을 갖는다.** $0<t\le\frac{\pi}{2}$**라고 하고,** $S_0=\int_0^\pi x\sin x\,dx=\pi$**라고 하자.**

두 점 $(t,\ 0)$, $(t,\ t\sin t)$**을 각각** P, P_0**이라고 하고, 원점을** O, **점** $(\pi,\ 0)$**을** Q**라고 하면, 그래프의 개형으로부터**

$$S_0-S>\int_t^\pi x\sin x\,dx-S>\text{삼각형 }P_0PQ\text{의 넓이}-\text{삼각형 }OP_0P\text{의 넓이}\ge 0$$

이므로 S**는** $t=0$**일 때 최댓값** $S_0=\pi$**를 갖는다.**

6. 2023학년도 인하대 모의 논술

[문제 1] (35점) 다음 제시문을 읽고 물음에 답하시오.

> 임의의 각 α, β에 대하여 $\cos(\alpha+\beta)=\cos\alpha\cos\beta-\sin\alpha\sin\beta$이다. 따라서 임의의 각 θ에 대하여 $\cos2\theta=\cos^2\theta-\sin^2\theta=2\cos^2\theta-1=1-2\sin^2\theta$이고, 이 공식을 이용하면 $0\le\theta\le\frac{\pi}{2}$일 때 다음과 같은 공식을 얻을 수 있다.
>
> (i) $\cos\frac{\theta}{2}=\sqrt{\frac{1+\cos\theta}{2}}$
>
> (ii) $\sin\frac{\theta}{2}=\sqrt{\frac{1-\cos\theta}{2}}$

(*) 다음 그림과 같이 삼각형 ABC는 $\angle BAC=\frac{\pi}{2}$인 직각이등변삼각형이다. 변 BC의 중점을 M이라 하자. 점 P, Q는 선분 BC위에 있고 $\angle PAQ=\frac{\pi}{4}$이다. $\overline{BC}=10$일 때 다음 질문에 답하시오.

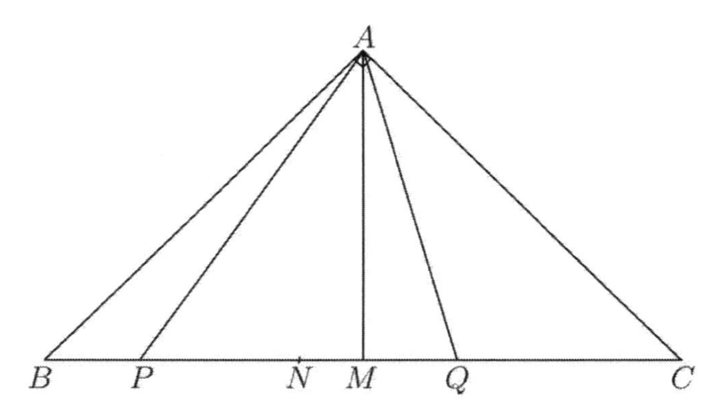

(1−1) $\overline{PM}=\overline{MQ}$일 때 $\overline{PQ}$의 값을 구하시오. [10점]

(1−2) 선분 PQ의 중점을 N이라 하고, 변 BC위에 점들이 위의 그림과 같이 P, N, M, Q의 순서로 놓여 있다고 하자. $\overline{PQ}=k$라 할 때, $\overline{NM}$의 값을 k로 나타내시오. [10점]

(1−3) $\overline{BP}=x(0\le x\le5)$라 할 때, 선분 PQ의 길이를 x로 나타내고, 그 최솟값을 구하시오. [15점]

> **(1−1)** $\overline{PQ}=10\tan\frac{\pi}{8}$**이다. 한편 제시문에 의해**
>
> $$\tan^2\frac{\pi}{8}=\frac{1-\cos\frac{\pi}{4}}{1+\cos\frac{\pi}{4}}=\frac{2-\sqrt{2}}{2+\sqrt{2}}=\frac{(2-\sqrt{2})^2}{4-2}=(\sqrt{2}-1)^2$$ **이므로** $\overline{PQ}=10(\sqrt{2}-1)$**이다.**
>
> **(1−2)** $\theta=\angle PAM$**이라고 하면**

$k=\overline{PM}+\overline{MQ}=5\tan\theta+5\tan\left(\frac{\pi}{4}-\theta\right)=5\left(\tan\theta+\frac{1-\tan\theta}{1+\tan\theta}\right)=5\frac{1+\tan^2\theta}{1+\tan\theta}$ **이므로,**

$5\tan^2\theta-k\tan\theta+(5-k)=0$**이고,** $\tan\theta=\frac{k\pm\sqrt{k^2-20(5-k)}}{10}$**이다.**

$\tan\theta=\frac{\overline{PM}}{\overline{AM}}>\frac{k}{10}$ **이므로** $\tan\theta=\frac{k+\sqrt{k^2+20k-100}}{10}$**이다.**

따라서 $\overline{MN}=\overline{PM}-\overline{PN}=5\tan\theta-\frac{k}{2}=\frac{1}{2}\sqrt{k^2+20k-100}$**이다.**

(별해1) 삼각형 APQ**의 외심을** O**라 하면 삼각형** OPQ**도 직각이등변삼각형이 된다. 그리고** $\overline{OA}=\overline{OP}=\frac{k}{\sqrt{2}}$**이다.** O**에서 선분** AM**에 내린 수선의 발을** R**이라 하면** $\overline{MR}=\overline{NO}=\frac{k}{2}$**이므로** $\overline{AR}=5-\frac{k}{2}$**이다.** $\overline{OR}=\overline{NM}$**이므로, 삼각형** AOR**에 대해 피타고라스 정리를 쓰면**

$$\overline{MN}=\sqrt{\left(\frac{k}{\sqrt{2}}\right)^2-\left(5-\frac{k}{2}\right)^2}=\frac{1}{2}\sqrt{k^2+20k-100}$$

이다.

(별해2) 삼각형 APQ**의 넓이는 밑변과 높이에 의해서** $\frac{5k}{2}$**이다. 또한** MN**의 길이를** t**라 할 때,** AP, AQ**의 길이는 각각** $\sqrt{25+(k/2+t)^2}$, $\sqrt{25+(k/2-t)^2}$**이다.**

사인함수를 이용하면 삼각형 APQ**의 넓이는** $\frac{\sqrt{2}}{4}\sqrt{(25+t^2+k^2/4)^2-k^2t^2}=\frac{5k}{2}$**가 된다. 양변을 제곱하여 정리하면** $t^4+2(25-k^2/4)t^2+(k^2/4-25)^2-25k^2=0$**이 되고 이로부터** $t^2=k^2/4+5k-25$**를 얻을 수 있다.**

(1−3) $\angle PAM=\theta$**라 두면,** $\overline{PM}=5\tan\theta$**이다.** $\angle BAM=\frac{\pi}{4}$**이므로**

$1=\tan\frac{\pi}{4}=\frac{\overline{BP}+\overline{PM}}{5}=\frac{x+5\tan\theta}{5}$ **로부터** $5\tan\theta=5-x$**이다.**

$$\begin{aligned}k=\overline{PQ}=\overline{PM}+\overline{MQ}&=5\tan\theta+5\tan\left(\frac{\pi}{4}-\theta\right)=5\tan\theta+\frac{5-5\tan\theta}{1+\tan\theta}\\&=5-x+\frac{5-5+x}{1+1-\frac{x}{5}}=5-x+\frac{5x}{10-x}=\frac{x^2-10x+50}{10-x}\end{aligned}$$

이므로 k**를** x**에 대해 미분하여 미분값이 0일 때의** x**를 구하면** $x=10-5\sqrt{2}$**가 된다. 이때의** k**의 값은** $10(\sqrt{2}-1)$**이고 이 값은 (1−1)에서 얻은 값과 같다.**

(별해) $10=\overline{BC}=\overline{BP}+\overline{PN}+\overline{NM}+\overline{MC}=x+\frac{k}{2}+\sqrt{\frac{k^2}{4}+5k-25}+5$**이므로**

$5-x-\frac{k}{2}=\sqrt{\frac{k^2}{4}+5k-25}$ **을 얻는다. 양변을 제곱하여 정리하면** $50+x^2-10x=k(10-x)$**를 얻게 된다. 따라서** $k=\frac{x^2-10x+50}{10-x}$**이다.**

k**를** x**에 대해 미분하여 미분값이 0일 때의** x**를 구하면** $x=10-5\sqrt{2}$**가 된다. 이때의** k**의 값은** $10(\sqrt{2}-1)$**이 고 이 값은 (1−1)에서 얻은 값과 같다.**

[문제 2] (35점) 다음 제시문을 읽고 물음에 답하시오.

(가) x축의 양의 방향과 이루는 각이 α이고 점 $(x_0,\ y_0)$을 지나는 직선의 방정식은

$$y=\tan\alpha(x-x_0)+y_0$$

(나) 두 함수 $f(x)$, $g(x)$가 닫힌구간 $[a,\ b]$에서 연속일 때, 두 곡선 $y=f(x)$와 $y=g(x)$및 두 직선 $x=a$, $x=b$로 둘러싸인 도형의 넓이 S는

$$S=\int_a^b |f(x)-g(x)|dx$$

(다) 이차방정식 $ax^2+bx+c=0$의 두 근을 α, β라고 하면

$$\alpha+\beta=-\frac{b}{a},\ \alpha\beta=\frac{c}{a}$$

(※) 포물선 $y=x^2$**위의 점** $(1,\ 1)$**을** P**라 하자.** $0<\theta<\frac{\pi}{4}$**인** θ**에 대하여 점** P**를 지나고** x**축의 양의 방향과 이루는 각이** θ**인 직선** l**과 포물선** $y=x^2$**으로 둘러싸인 도형의 넓이를** $S(\theta)$ **라 할 때, 다음 질문에 답하시오.**

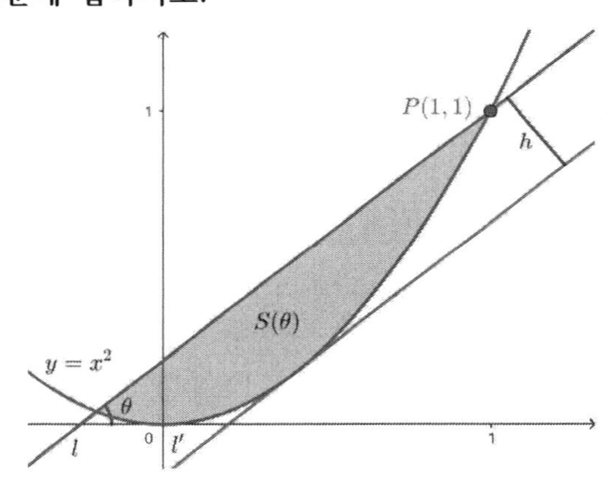

(2−1) $S(\pi/6)$를 구하시오. [10점]

(2−2) $S(\theta)$의 값을 θ의 식으로 나타내시오. [10점]

(2−3) 직선 l과 평행하며 $y=x^2$의 그래프와 제 1사분면에서 접하는 직선을 l'라 하자. 직선 l과 l'사이의 거리를 h라 할 때, h를 θ에 관한 식으로 나타내고, l의 기울기가 $\frac{1}{2}$일 때, $\frac{dh}{d\theta}$의 값을 구하시오. [15점]

(2-1) $\theta=\pi/6$**일 때 직선** l**의 방정식은 제시문 (가)를 이용하면** $y=\frac{1}{\sqrt{3}}(x-1)+1$**이 된다. 문제의 조건에서** $x=1$**이 직선** l**과 곡선** $y=x^2$**의 교점이 됨을 알 수 있다. 제시문 (다)를 이용하여 직선** l**과 곡선** $y=x^2$**의 두 교점을 모두 구하면** $x=1,\ \frac{1}{\sqrt{3}}-1$**이 된다. 제시문 (나)를 이용하면**

$$S\left(\frac{\pi}{6}\right)=\int_{\frac{1}{\sqrt{3}}-1}^{1}\left(\frac{1}{\sqrt{3}}(x-1)+1-x^2\right)dx=\frac{1}{6}\left(2-\frac{1}{\sqrt{3}}\right)^3=\frac{1}{54}(90-37\sqrt{3})=\frac{5}{3}-\frac{37\sqrt{3}}{54}$$

이 된다.

(2-2) $0<\theta<\frac{\pi}{4}$**일 때,** $S(\theta)$**는 (2-1)의 과정을 일반화하여 구할 수 있다. 즉, 제시문 (가)를 이용하면 구하고자 하는 직선의 방정식은** $y=\tan\theta(x-1)+1$**이고, 제시문 (다)의 이차방정식의 근과 계수의 관계를 이용하면** $x=1,\ \tan\theta-1$**에서 교점이 생긴다는 것을 알 수 있다. (2-1)에서와 같이 제시문 (나)를 이용하면**

$$S(\theta)=\int_{\tan\theta-1}^{1}(\tan\theta(x-1)+1-x^2)dx=\frac{1}{6}(2-\tan\theta)^3$$

이 된다. 따라서 구하고자 하는 답은 $S(\theta)=\frac{1}{6}(2-\tan\theta)^3$**이 된다.**

(2-3) **접선의 기울기가** $\tan\theta$**가 되는 접점의** x**좌표는** $\frac{\tan\theta}{2}$**가 된다. 따라서, 접점의 좌표는** $\left(\frac{\tan\theta}{2},\ \left(\frac{\tan\theta}{2}\right)^2\right)$**이 고 직선** l'**의 방정식은** $y=\tan\theta x-\left(\frac{\tan\theta}{2}\right)^2$**이 된다.** h**의 값은**

$$h=\frac{\left|\left(\frac{\tan\theta}{2}\right)^2-\tan\theta+1\right|}{\sqrt{(\tan\theta)^2+1}}=\frac{1}{4}\cos\theta(\tan\theta-2)^2$$

이 된다.

$\frac{dh}{d\theta}=-\frac{1}{4}\sin\theta(\tan\theta-2)^2+\frac{1}{2}\sec\theta(\tan\theta-2)$**이고, 기울기가** $\frac{1}{2}$**일 때,**

$\sin\theta=\frac{1}{\sqrt{5}},\ \cos\theta=\frac{2}{\sqrt{5}},\ \tan\theta=\frac{1}{2}$**이 므로** $\frac{dh}{d\theta}=-\frac{39\sqrt{5}}{80}$**가 된다.**

[문제 3] (30점) 다음 제시문을 읽고 물음에 답하시오.

(가) [평균값 정리] 함수 $f(x)$가 닫힌구간 $[a,\ b]$에서 연속이고 열린구간 $(a,\ b)$에서 미분가능할 때, $\frac{f(b)-f(a)}{b-a}=f'(c)$인 c가 열린구간 $(a,\ b)$에 적어도 하나 존재한다.

(나) 함수 $f(x)$가 어떤 구간에 속하는 임의의 두 수 $x_1,\ x_2$에 대하여 $x_1<x_2$일 때

$f(x_1) < f(x_2)$이면 함수 $f(x)$는 이 구간에서 증가한다고 한다. 또 $x_1 < x_2$일 때 $f(x_1) > f(x_2)$이면 함수 $f(x)$는 이 구간에서 감소한다고 한다.
함수 $f(x)$가 닫힌구간 $[a, b]$에서 연속이고 열린구간 (a, b)에서 미분가능할 때, (a, b)의 모든 x에 대하여 $f'(x) > 0$이면 $f(x)$는 $[a, b]$에서 증가한다.

(※) 함수

$$f(x) = \begin{cases} x^2 - 4x + 3 & (x \geq 0) \\ x^2 + 4x + 3 & (x < 0) \end{cases}$$

에 대하여 다음 질문에 답하시오.

(3−1) 다음 명제가 참이 되도록 하는 실수 a의 값의 집합을 구하시오. [7점]

$t > a$인 어떤 실수 t에 대하여 $f(t) < f(a)$가 성립한다.

(3−2) (a) 실수 전체의 집합에서 정의된 함수 $g(x)$가 다음 조건을 만족할 때, 함수 $g(x)$의 그래프의 개형을 그리시오. [6점]

모든 실수 a에 대하여 $g(a) = \lim_{x \to a+} f'(x)$이다.

(b) 다음 명제는 거짓이다. 이 명제가 성립하지 않는 a, b의 예를 찾으시오. [7점]

두 실수 a, b(단, $b > a$)에 대하여
$\dfrac{f(b) - f(a)}{b - a} = \lim_{x \to c+} f'(x)$이고 $a < c < b$인 실수 c가 존재한다.

(3−3) 다음 명제가 참이 되도록 하는 상수 k의 최솟값을 구하시오. [10점]

$b - a > k$인 임의의 두 실수, a,b에 대하여
$\dfrac{f(b) - f(a)}{b - a} = \lim_{x \to c+} f'(x)$이고, $a < c < b$인 실수 c가 존재한다.

함수 $f(x)$의 그래프의 개형은 다음과 같다.

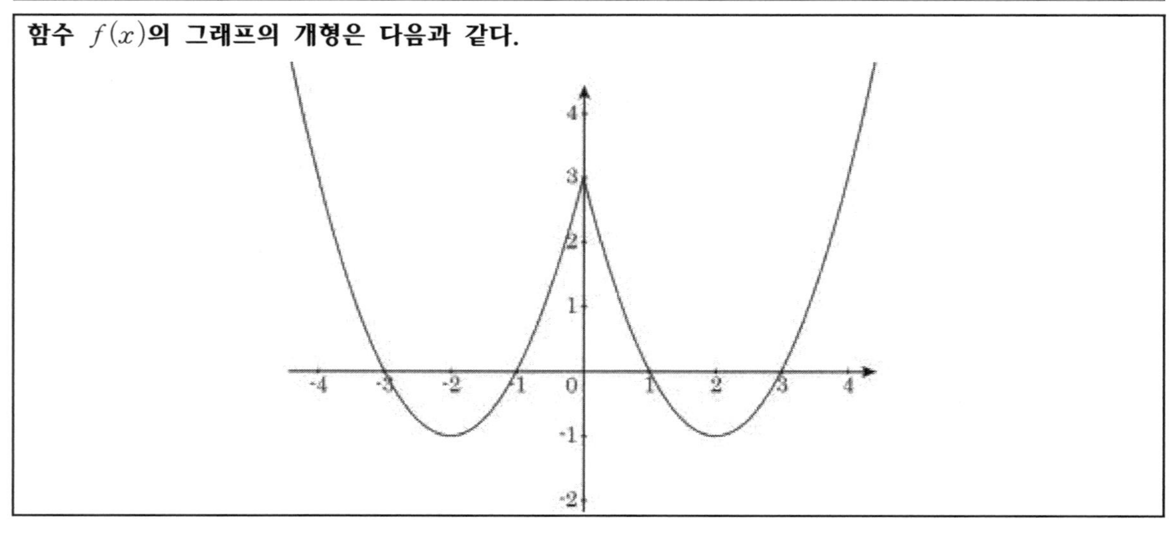

(3－1) 제시문 (나)에 의하여 $f(x)$는 $[2, \infty)$에서 증가함수이므로 $a \geq 2$이면 명제는 성립하지 않는다. $a < 2$이고 $a \neq -2$이면 $x = 2$일 때 두 부등식 $x > a$, $f(x) < f(a)$가 성립하므로 명제는 참이다. $a = -2$이면 명제는 성립하지 않으므로 구하려는 집합은 $(-\infty, -2) \cup (-2, 2)$이다.

(3－2) (a) $x > 0$이면 $g(x) = f'(x) = 2x - 4$, $x < 0$이면 $g(x) = f'(x) = 2x + 4$이다.
$g(0) = \lim_{x \to 0+} f'(x) = \lim_{x \to 0+} (2x - 4) = -4$이므로, 함수 $g(x)$의 그래프의 개형은 다음과 같다.

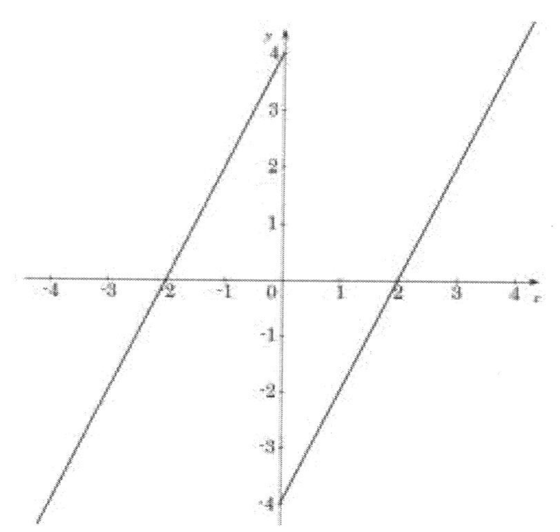

(b) 평균값의 정리에 의하여 명제

$$\frac{f(b) - f(a)}{b - a} = \lim_{x \to c+} f'(x) \text{이고} a < c < b \text{인 실수} c \text{가 존재한다.}$$

는 $b > a \geq 0$또는 $0 \geq b > a$일 때 참이므로 반례는 $a < 0$, $b > 0$인 범위에서 찾아야 한다.
예를 들어 $a = -2$, $b = 2$라고 하면 $\frac{f(b) - f(a)}{b - a} = 0$이고 $-2 < c < 2$일 때 (a)의 그래프의 개형으로부터 $f'(c) \neq 0$이므로 명제는 거짓이다.

(3－3) 명제가 성립하는 k의 최솟값은 4이다. (3－2)(b)에서 $b - a = 4$이고 명제

$$\frac{f(b) - f(a)}{b - a} = \lim_{x \to c+} f'(x) \text{이고} a < c < b \text{인 실수} c \text{가 존재한다.}$$

가 성립하지 않는 a, b의 예를 구하였으므로 명제가 참이려면 $k \geq 4$이어야 한다.
역으로 $b - a > 4$이라고 가정하자. $b > a \geq 0$또는 $0 \geq b > a$이면 평균값의 정리에 의해 명제가 성립한다.
$a < 0$, $b > 0$이라면,
기울기 $\frac{f(b) - f(a)}{b - a}$는 두 점 $(0, f(0))$과 $(b, f(b))$를 지나는 직선의 기울기 $\frac{f(b) - f(0)}{b - 0}$과 두 점 $(a, f(a))$와 $(0, f(0))$을 지나는 직선의 기울기 $\frac{f(0) - f(a)}{0 - a}$의 사이에 있는 값 (또는 두 기울기가 같은 경우 두 기울기와 같은 값)이어야 한다. 이 각각의 기울기는 평균값의 정리에 의하여 어떤 α, β에 대하여 $g(\alpha)$, $g(\beta)$ $(a < \alpha < 0,\ 0 < \beta < b)$와 같다. 그런데, (3－2)(a)에서

구한 함수 $g(x)$의 그래프의 개형으로부터 $b-a>4$이고 $a<0$, $b>0$이면 $g(b)>g(a)$이므로 $\frac{f(b)-f(a)}{b-a}=g(\gamma)$인 실수 $\gamma(a<\gamma<b)$가 반드시 존재한다. (실제로 $b-a>4$일 때, $g(b)>g(a)$이므로 열린구간 $(a,\ b)$에서 정의된 함수 $g(x)$의 치역은 $-4\le a<0$, $0<b<4$이면 구간 $[-4,\ 4)$, $a<-4$, $0<b<4$이면 구간 $(g(a),\ 4)$, $-4\le a<0$, $b\ge 4$이면 구간 $[-4,\ g(b))$이고, $a<-4$, $b\ge 4$이면 구간 $(g(a),\ g(b))$이므로 하나의 구간으로 이루어진다. 따라서 임의의 α, $\beta(a<\alpha,\ \beta<b)$에 대하여 $g(\alpha)$, $g(\beta)$사이에 있는 임의의 값은 다시 함수 $g(x)$의 구간 $(a,\ b)$에서의 치역에 속한다.)

7. 2022학년도 인하대 수시 논술 (오전)

[문제 1] (30점) 다음 제시문을 읽고 물음에 답하시오.

(가) 어떤 명제가 참임을 증명할 때, 주어진 명제의 결론을 부정하여 가정 또는 이미 알려진 수학적 사실 등에 모순됨을 보여 원래의 명제가 참임을 증명하는 방법을 귀류법이라고 한다.

(나) 양수 a, b에 대하여, 다음이 성립한다.

$$a\le b \Leftrightarrow \frac{1}{a}\ge\frac{1}{b}$$

(※) 어떤 자연수들의 집합 S는 다음 조건을 만족한다.

S의 임의의 두 원소 x, $y(x<y)$에 대하여

$$\frac{1}{x}-\frac{1}{y}\ge\frac{1}{30}$$

이다.

(1－1) 집합 S에는 30보다 크거나 같은 원소가 최대 몇 개까지 있을 수 있겠는가? (7점)

(1－2) 집합 $\{\ i|i$는 $1\le i\le k$인 자연수 $\}$를 포함하는 집합 S가 존재하도록 하는 자연수 k의 최댓값 을 구하시오. (8점)

(1－3) 집합 S가 가질 수 있는 원소의 개수의 최댓값을 구하시오. (15점)

(1－1)

S에 $n>m\ge 30$인 원소가 있다고 가정하자. 그러면 $\frac{1}{m}\le\frac{1}{30}$이므로

$$\frac{1}{m}-\frac{1}{n}\le\frac{1}{30}-\frac{1}{n}<\frac{1}{30}$$

이고 모순이다. 따라서 2개 이상 있을 수는 없다. $S=\{1,\ 30\}$은 문제의 조건을 만족하므로 집합 S에는 30보다 큰 원소가 최대 1개까지 있을 수 있다.

(1－2)

$2 \le i \le 6$**에 대하여,** $\frac{1}{i-1}-\frac{1}{i}=\frac{1}{i(i-1)} \ge \frac{1}{30}$**이므로** 6**까지 가능하다. 따라서,** $k=6$**이다.**

(1－3)

$a_i = i,\ 1 \le i \le 6$**이라 하자.**

$\frac{1}{x}-\frac{1}{y} \ge \frac{1}{30} \Leftrightarrow y \ge \frac{30x}{30-x}$**이므로** a_7**을** $a_7 \ge \frac{30a_6}{30-a_6}$**을 만족하는 가장 작은 자연수로 잡는다.**

$a_7 \ge \frac{30 \cdot 6}{30-6}=\frac{180}{24}>7$**이므로** $a_7=8$**. 마찬가지로,**

$a_8 \ge \frac{30 \cdot 8}{30-8}=\frac{240}{22}>10$**이므로** $a_8=11$

이와 같이 하여 $a_9=18,\ a_{10}=45$**라 하면** $S=\{a_1,\ a_2,\ \cdots,\ a_{10}\}$**는 주어진 조건을 만족한다.** **(1－1)에 의해 30이상의 수는 한 개뿐이어야 하므로** S**의 원소의 개수의 최댓값은 10개이다.**

이렇게 구한 $a_1<a_2<\cdots<a_{10}$**이 최대 개수인 이유는 다음과 같다. 만일 또 다른** $b_1<b_2<\cdots<b_m(m \ge 11)$**이 주어진 조건을 만족한다면,**

$a_1<a_2<\cdots<a_{10}$**은 조건** $a_i \ge \frac{30a_{i-1}}{30-a_{i-1}}$**을 만족하는 가장 작은 자연수들을 차례로 고른 것이기 때문에 모든** $1 \le i \le 10$**에 대하여** $a_i \le b_i$**이다. 그러므로** $b_{10} \ge a_{10}>30$**이 되는데 이는 (1－1)에 모순이 된다.**

[별해] 집합 S**의 원소 중 6이상 30미만인 것을** $c_1<c_2<\cdots<c_k$**라고 하면**

$$\frac{k-1}{30} \le \left(\frac{1}{c_1}-\frac{1}{c_2}\right)+\left(\frac{1}{c_2}-\frac{1}{c_3}\right)+\cdots+\left(\frac{1}{c_{k-1}}-\frac{1}{c_k}\right)=\frac{1}{c_1}-\frac{1}{c_k}<\frac{1}{6}-\frac{1}{30}=\frac{4}{30}$$

그러므로 $k \le 4$**이어야 한다. (1－1)에 의해** S**의 원소의 개수는** $5+4+1=10$**이하이다.** $S=\{1,\ 2,\ 3,\ 4,\ 5,\ 6,\ 8,\ 11,\ 18,\ 45\}$**는 문제의 조건을 만족하므로 최댓값은 10이다.**

[문제 2] (35점) 다음 제시문을 읽고 물음에 답하시오.

(가) 모든 자연수 n에 대하여 $a_n \le b_n \le c_n$이고 $\lim_{n\to\infty} a_n=\lim_{n\to\infty} c_n=\alpha$이면 $\lim_{n\to\infty} b_n=\alpha$이다.

(나) 닫힌구간 $[a,\ b]$에서 연속인 두 함수 $f(x),\ g(x)$에 대하여

(i) $m \le f(x) \le M$이고 $g(x) \ge 0$이면

$$m\int_a^b g(x)dx \le \int_a^b f(x)g(x)dx \le M\int_a^b g(x)dx$$

이고

(ii) $m \le f(x) \le M$이고 $g(x) \le 0$이면

$$M\int_a^b g(x)dx \le \int_a^b f(x)g(x)dx \le m\int_a^b g(x)dx$$

이다.

(다) 미분가능한 두 함수 $f(x)$, $g(x)$에 대하여 $f'(x)$, $g'(x)$가 닫힌구간 $[a, b]$에서 연속일 때,

$$\int_a^b f(x)g'(x)dx = [f(x)g(x)]_a^b - \int_a^b f'(x)g(x)dx$$

이다.

(※) 수열 $\{a_n\}$, $\{b_n\}$은

$$a_n = \int_{n\pi}^{(n+1)\pi} \frac{|\sin x|}{x} dx, \quad b_n = \int_{n\pi}^{(n+1)\pi} \frac{\cos x}{x^2} dx$$

로 주어진다.

(2-1) $\lim_{n\to\infty} na_n$의 값을 구하시오. (10점)

(2-2) $\lim_{n\to\infty} n^2 b_n$의 값을 구하시오. (10점)

(2-3) $\lim_{n\to\infty} \{n(n+1)a_n - f(n)\} = 0$이 되는 다항식 $f(x)$를 구하시오. (15점)

(2-1) $n\pi \le x \le (n+1)\pi$**일 때,** $\frac{1}{(n+1)\pi} \le \frac{1}{x} \le \frac{1}{n\pi}$**이고** $\int_{n\pi}^{(n+1)\pi} |\sin x| dx = 2$**이므로 제시문 (나)에 의해서**

$$\frac{2}{(n+1)\pi} \le a_n \le \frac{2}{n\pi}$$

이다. 그러므로 $\frac{2n}{(n+1)\pi} \le na_n \le \frac{2}{\pi}$**이고** $\lim_{n\to\infty} \frac{2n}{(n+1)\pi} = \frac{2}{\pi}$**이므로 제시문 (가)에 의해** $\lim_{n\to\infty} na_n = \frac{2}{\pi}$**이다.**

(2-2) 자연수 k에 대하여 $2k\pi \le x \le \left(2k + \frac{1}{2}\right)\pi$**일 때** $\frac{1}{\left(2k\pi + \frac{1}{2}\right)^2 \pi^2} \le \frac{1}{x^2} \le \frac{1}{4k^2\pi^2}$**이고**

$\int_{2k\pi}^{(2k+1/2)\pi} \cos x dx = 1$**이므로 제시문 (나)에 의해서**

$$\frac{1}{\left(2k + \frac{1}{2}\right)^2 \pi^2} \le \int_{2k\pi}^{(2k+1/2)\pi} \frac{\cos x}{x^2} dx \le \frac{1}{4k^2\pi^2} \qquad \text{(A)}$$

이다. 마찬가지로 $\left(2k + \frac{1}{2}\right)\pi \le x \le (2k+1)\pi$**일 때** $\frac{1}{(2k+1)^2\pi^2} \le \frac{1}{x^2} \le \frac{1}{\left(2k\pi + \frac{1}{2}\right)^2 \pi^2}$**이고**

$\int_{(2k+1/2)\pi}^{(2k+1)\pi} \cos x dx = -1$**이므로 제시문 (나)에 의해서**

$$-\frac{1}{\left(2k+\frac{1}{2}\right)^2\pi^2} \le \int_{(2k+1/2)\pi}^{(2k+1)\pi} \frac{\cos x}{x^2}dx \le -\frac{1}{(2k+1)^2\pi^2} \qquad \textbf{(B)}$$

이다. $\int_{2k\pi}^{(2k+1)\pi} \frac{\cos x}{x^2}dx = \int_{2k\pi}^{(2k+1/2)\pi} \frac{\cos x}{x^2}dx + \int_{(2k+1/2)\pi}^{(2k+1)\pi} \frac{\cos x}{x^2}dx$**이므로 (A), (B)에 의하여** $0 < b_{2k} < \frac{1}{(2k)^2\pi^2} - \frac{1}{(2k+1)^2\pi^2}$**이다. 마찬가지로** $\frac{1}{(2k+2)^2\pi^2} - \frac{1}{(2k+1)^2\pi^2} < b_{2k+1} < 0$**이므로** $0 < |b_n| < \frac{1}{n^2\pi^2} - \frac{1}{(n+1)^2\pi^2}$**이다.** $\lim_{n\to\infty} n^2\left(\frac{1}{n^2\pi^2} - \frac{1}{(n+1)^2\pi^2}\right) = 0$**이므로 제시문 (가)에 의해서** $\lim_{n\to\infty} n^2 b_n = 0$**이다.**

(2－3)

$$\begin{aligned} a_n &= (-1)^n \int_{n\pi}^{(n+1)\pi} \frac{\sin x}{x}dx \\ &= (-1)^n \left\{\left[-\frac{\cos x}{x}\right]_{n\pi}^{(n+1)\pi} - \int_{n\pi}^{(n+1)\pi} \frac{\cos x}{x^2}dx\right\} \\ &= (-1)^n \left\{\frac{(-1)^n}{(n+1)\pi} + \frac{(-1)^n}{n\pi} - b_n\right\} \\ &= \frac{1}{(n+1)\pi} + \frac{1}{n\pi} + (-1)^{n+1}b_n \end{aligned}$$

이므로 (2－2)의 결과에 의해 $\lim_{n\to\infty}\left\{n(n+1)a_n - \frac{2n+1}{\pi}\right\} = 0$**이다. 따라서** $f(x) = \frac{2x+1}{\pi}$**이다.**

[문제 3] (35점) 다음 제시문을 읽고 물음에 답하시오.

(가) 함수 $y=f(x)$의 그래프를 x축의 방향으로 p만큼, y축의 방향으로 q만큼 평행 이동한 것은 함수 $y=f(x-p)+q$의 그래프와 같다.
(나) 최고차항의 계수가 1인 임의의 삼차함수 $y=f(x)$의 그래프는 어떤 상수 a에 대하여 함수 $y=x^3-ax$의 그래프를 평행 이동한 것과 같다.

(3－1) 함수 $y=x^3-6x^2+9x+1$**의 그래프가 함수** $y=x^3-ax$**의 그래프를 평행 이동한 것일 때, 상수** a**의 값을 구하시오. (5점)**

(3－2) 두 직선 $y=-x$**와** $y=-x+4$**가 곡선** $y=x^3-mx+n$**에 접할 때, 상수** m, n**의 값을 구하시오. (10점)**

(3－3) 네 직선 $y=-x$, $y=-x+4$, $y=2x$, $y=2x+k$**(** k**는 양수)를 각각** l_1, l_2, l_3, l_4**라고 하자. 다음 조건을 만족하는 순서쌍** (a_1, a_2, a_3, a_4)**의 집합을** S**라고 하자.**

최고차항의 계수가 1인 삼차함수 $f(x)$가 존재하여, 모든 $i=1, 2, 3, 4$에 대하여 곡선 $y=f(x)$와 직선 l_i의 교점의 개수가 a_i이다.

(a) $(2, 2, 2, 2)\in S$가 되도록 하는 k의 값을 구하시오. (10점)

(b) $(2, 2, 2, 2)\in S$일 때 S의 원소의 개수를 구하시오. (10점)

(3-1)

$x^3-6x^2+9x+1=(x-2)^3-3(x-2)+3$이므로 제시문 (가)에 의하여 $y=x^3-6x^2+9x+1$의 그래프는 $y=x^3-3x$의 그래프를 x축의 방향으로 2만큼, y축의 방향으로 3만큼 평행이 동한 것이다. 따라서 $a=3$이다.

[별해] $(x-p)^3-a(x-p)+q=x^3-3px^2+(3p^2-a)x+(-p^3+ap+q)=x^3-6x^2+9x+1$인 p, q가 존재한다.

이때 $-3p=-6$에서 $p=2$이고 $3p^2-a=12-a=9$이므로 $a=3$이다.

(3-2) $f(x)=x^3-mx+n$라고 하면 $f'(x)=3x^2-m$이다. 따라서 $y=f(x)$의 기울기가 -1인 접선의 접점의 x좌표는, $\alpha=\sqrt{\dfrac{m-1}{3}}$라고 하면, $\pm\alpha$이다. 삼차함수의 그래프의 개형으로부터 접선 $y=-x$의 접점의 x좌표가 접선 $y=-x+4$의 x좌표보다 크므로, 두 접선의 접점의 좌표는 각각 $(\alpha, -\alpha)$, $(-\alpha, \alpha+4)$이다.

따라서 $f(\alpha)=\alpha^3-(3\alpha^2+1)\alpha+n=-\alpha$, $f(-\alpha)=-\alpha^3+(3\alpha^2+1)\alpha+n=\alpha+4$이고 두 식으로부터 $n=2$, $\alpha=1$을 얻는다. 이때 $m=3\alpha^2+1=4$이다.

[별해]

$f(x)=(x^3-mx+n)-(-x)=x^3-(m-1)x+n$은 $f'(x)=3x^2-(m-1)$의 두 실근을 $\pm\alpha\left(\alpha=\sqrt{\dfrac{m-1}{3}}\right)$이라고 하면 $x=-\alpha$에서 극댓값 4를 $x=\alpha$에서 극솟값 0을 갖는다.

$m=3\alpha^2+1$이므로 $f(\alpha)=-2\alpha^3+n=0$, $f(-\alpha)=2\alpha^3+n=4$이다. 따라서 $n=2$, $\alpha=1$이고 $m=4$이다.

(3-3)

(a) (3-2)로부터 l_1, l_2를 접선으로 갖는 최고차항의 계수가 1인 삼차함수의 그래프는 곡선 $y=x^3-4x$을 적당히 평행 이동한 것이다. $(2, 2, 2, 2)\in S$이려면 이 삼차함수의 그래프를 $y=-x$방향으로 적당히 평행 이동하였을 때 두 직선 l_3, l_4가 접선이어야 한다.

$y=x^3-4x$이면 $y'=3x^2-4$이므로 곡선 $y=x^3-4x$의 기울기가 2인 접선의 접점의 x좌표는 방정식 $3x^2-4=2$의 두 근 $\pm\sqrt{2}$이다. 따라서 $y=x^3-4x$의 기울기가 2인 두 접선의 방정식은 각각 $y=2(x-\sqrt{2})-2\sqrt{2}=2x-4\sqrt{2}$과 $y=2x+4\sqrt{2}$이다. 이 두 접선의 y절편의 차이는 $8\sqrt{2}$이다. 삼차함수 $y=x^3-4x$을 적당히 평행 이동해서 이 두 접선이 각각 l_3, l_4가 되어도 y절

편의 차이는 변하지 않으므로 $k=8\sqrt{2}$ 이어야 한다.

(b) $f(x)=x^3-ax$ $(a>4)$라고 하면, 곡선 $y=f(x)$의 기울기가 -1인 두 접선의 y절편의 차이는 (3-2)의 계산 과정으로부터 $(-\alpha+f(-\alpha))-(\alpha+f(\alpha))=-2(\alpha+\alpha^3-(3\alpha^2+1)\alpha)=4\alpha^3$ (단, $\alpha=\sqrt{\dfrac{a-1}{3}}$)이므로 4보다 크고, 마찬가지로 기울기가 2인 두 접선의 y절편의 차이는 $8\sqrt{2}$ 보다 크다. 따라서 두 순서쌍 $(a_1,\ a_2)$와 $(a_3,\ a_4)$가 모두

$$\{(1,\ 1),\ (1,\ 2),\ (1,\ 3),\ (2,\ 1),\ (2,\ 3),\ (3,\ 1),\ (3,\ 2),\ (3,\ 3)\}$$

에 속하면 곡선 $y=f(x)$를 적당히 평행 이동해서 얻어지는 곡선과 직선 $l_i(i=1,\ 2,\ 3,\ 4)$의 교점의 개수가 a_i이다. 따라서 이 경우 $(a_1,\ a_2,\ a_3,\ a_4)\in S$이다.

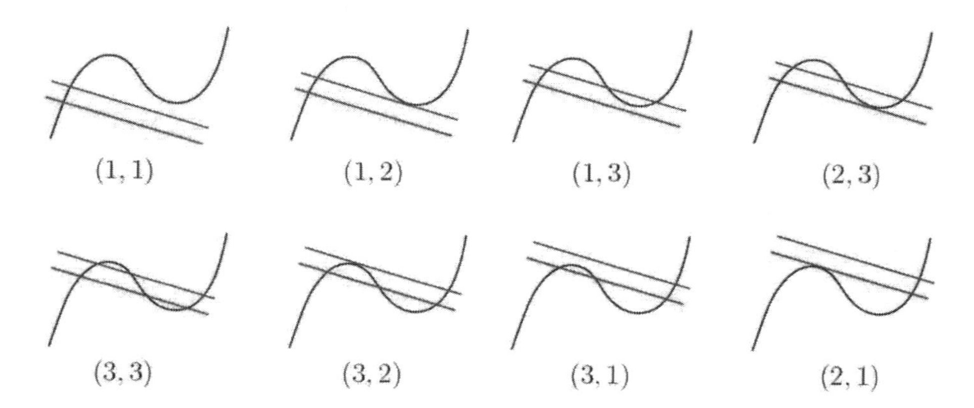

한편 두 순서쌍 $(a_1,\ a_2)$와 $(a_3,\ a_4)$중 하나가 $(2,\ 2)$이면 문제의 조건을 만족하는 $y=f(x)$의 그래프는 (a)에 의하여 $y=x^3-4x$의 그래프를 적당히 평행 이동한 것이다. 따라서 이 경우 다른 순서쌍이 집합

$$\{(1,\ 1),\ (1,\ 2),\ (1,\ 3),\ (2,\ 1),\ (2,\ 2),\ (3,\ 1)\}$$

의 원소일 때에만 $(a_1,\ a_2,\ a_3,\ a_4)\in S$이다.

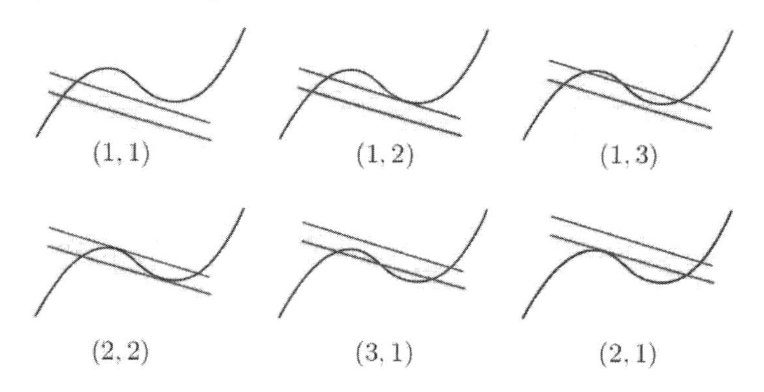

따라서 S의 원소의 개수는 $8^2+6\times2-1=75$이다.

(참고로 $f(x)=x^3-ax$ $(a<4)$를 평행 이동하더라도 $(a_1,\ a_2)$또는 $(a_3,\ a_4)$가 $(2,\ 2)$가 되는 일은 없으므로 새로운 S의 원소는 얻어지지 않는다.)

8. 2022학년도 인하대 수시 논술 (오후)

[문제 1] (30점) 다음 제시문을 읽고 물음에 답하시오.

(가) 두 함수 $f(x)$, $g(x)$가 닫힌구간 $[a,\ b]$에서 연속일 때, 두 곡선 $y=f(x)$, $y=g(x)$및 두 직선 $x=a$, $x=b$로 둘러싸인 도형의 넓이 S는

$$S=\int_a^b |f(x)-g(x)|dx$$

이다.

(나) $a>0$, $b>0$일 때, 다음 부등식이 성립한다.

$$\sqrt{ab} \leq \frac{a+b}{2}$$

여기서 등호는 $a=b$일 때 성립한다.

(※) 함수 $f(x)=x^3+x+1$과 양의 실수 t에 대하여 곡선 $y=f(x)$와 y축 및 직선 $y=f(t)$로 둘러싸인 부분의 넓이를 $S(t)$라 하자.

(1−1) $\displaystyle\lim_{t\to\infty}\frac{S(t)}{t^4+1}$**의 값을 구하시오. (8점)**

(1−2) $x>0$**일 때,** $\dfrac{S(x)}{xf(x)}$**의 값의 범위를 구하시오. (10점)**

(1−3) **양의 실수 전체의 집합에서 정의된 함수** $h(x)=\dfrac{S(x)}{x^2(f(x))^2}\left(\displaystyle\int_0^x f(t)dt\right)$**가** $x=a$**에서 최댓값을 가질 때,** a**와** $h(a)$**의 값을 구하시오. (12점)**

(1−1) 제시문 (가)를 이용하면 $S(t)+\displaystyle\int_0^t f(x)dx$**가 원점과** $(t,\ f(t))$**를 대각선의 양 끝점으로 하는 직사각형의 넓이이므로** $S(t)+\displaystyle\int_0^t f(x)dx=tf(t)$**가 됨을 알 수 있다.** $f(x)=x^3+x+1$**을 대입하면** $S(t)=\dfrac{3}{4}t^4+\dfrac{1}{2}t^2$**을 얻을 수 있다. 따라서 구하고자 하는 극한값은** $\dfrac{3}{4}$**이 된다.**

(1−2) (1−1)에서 얻은 $S(x)$**를 이용하면** $x>0$**일 때,**

$$\frac{d}{dx}\left(\frac{S(x)}{xf(x)}\right)=\frac{d}{dx}\left(\frac{(3/4)x^4+(1/2)x^2}{x^4+x^2+x}\right)=\frac{2x^3+9x^2+2}{4(x^3+x+1)^2}>0$$

임을 알 수 있다. 따라서 $x>0$**일 때,** $\dfrac{S(x)}{xf(x)}$**는 증가한다. 또한** $\displaystyle\lim_{x\to 0}\frac{S(x)}{xf(x)}=0$**이고** $\displaystyle\lim_{x\to\infty}\frac{S(x)}{xf(x)}=\frac{3}{4}$**이므로** $0<\dfrac{S(x)}{xf(x)}<\dfrac{3}{4}$**이다.**

(1−3) $A(x)=\dfrac{S(x)}{xf(x)}$**라 하고** $B(x)=\dfrac{\int_0^x f(t)dt}{xf(x)}$**라 하자. 그러면 (1−1)과 같이 제시문 (가)를 이용하면** $A(x)+B(x)=1$**임을 알 수 있다. 또한 (1−2)에서** $0<A(x)<\dfrac{3}{4}$**이다. 제시문 (나)를 이용하면** $h(x)=A(x)B(x)\le\left(\dfrac{A(x)+B(x)}{2}\right)^2=\dfrac{1}{4}$**이 성립하고 등호는** $A(x)=\dfrac{1}{2}$ **일 때 성립한다.** $A(x)=\dfrac{1}{2}$**을 풀면** $x^4-2x=0$**이므로** $x>0$**을 만족하는** x**의 값은** $\sqrt[3]{2}$**가 된다.**

따라서 $a=\sqrt[3]{2}$ **이고** $h(a)=\dfrac{1}{4}$**이다.**

[별해] $h(x)$**를** $A(x)+B(x)=1$**을 이용하여**

$$h(x)=A(x)(1-A(x))=-\left(A(x)-\frac{1}{2}\right)^2+\frac{1}{4}\le\frac{1}{4}$$

임을 알 수 있다. 따라서 (1−2)로부터 $0<A(x)<\dfrac{3}{4}$**이므로** $A(x)=\dfrac{1}{2}$**일 때,** $h(x)$**가 최댓값** $\dfrac{1}{4}$**을 갖고,** $A(x)=\dfrac{1}{2}$**이면** $x^4-2x=0$**이므로** $x=\sqrt[3]{2}$ **이다. 따라서** $a=\sqrt[3]{2}$ **이고** $h(a)=\dfrac{1}{4}$**이다.**

[문제 2] (35점) 다음 제시문을 읽고 물음에 답하시오.

한 변의 길이가 1인 정오각형 $ABCDE$에 대하여 두 대각선 AC와 BD의 교점을 F라고 하자. 그러면 $\angle AFB=\angle ABF$이므로 $\overline{AF}=1$이다. $\overline{BF}=\overline{CF}=x$라고 하면 두 닮은 삼각형 BCF와 ACB로부터 $1:x=x+1:1$이므로, $x=\dfrac{-1+\sqrt{5}}{2}$이다. 삼각형 BCF에서 $\angle BCF=\dfrac{\pi}{5}$이므로 코사인법칙에 의하여 $\cos\dfrac{\pi}{5}=\dfrac{1+x^2-x^2}{2x}=\dfrac{1}{2x}=\dfrac{1+\sqrt{5}}{4}$를 얻는다. 이때 정오각형 $ABCDE$의 대각선 AC의 길이는 $1+x=\dfrac{1+\sqrt{5}}{2}$이다.

(※) X**가 좌표평면의 부분집합이고** $P\in X$**일 때, 다음 조건을 만족하는** $P_0,\ P_1,\ \cdots,\ P_n\in X$**가 존재하 는 점** Q**의 집합을** X_n**이라고 하자. (단,** n**은 자연수이다.)**

(i) $P_0=P,\ P_n=Q$이다.
(ii) $1\le i\le n$인 모든 정수 i에 대하여 선분 $P_{i-1}P_i$의 길이는 1이다.

(2−1) X**가 반지름의 길이가** r**인 원일 때,** $P\in X$**에 대하여** X_1**의 원소의 개수가 1이 되도록 하는** r**의 값을 구하시오. (7점)**

(2−2) X**가 한 변의 길이가 1인 정 7각형의 꼭짓점의 집합일 때,** $P\in X$**에 대하여** $X_n=X$**가 되도록 하는 가장 작은 자연수** n**의 값을 구하시오. (8점)**

(2－3) X가 반지름의 길이가 r인 원이고 $P \in X$이다. (단, $r > \frac{1}{2}$이다.)

(a) 모든 자연수 n에 대하여 X_n의 원소의 개수가 3이하가 되도록 하는 r의 값을 모두 구하시오. (10점)

(b) 모든 자연수 n에 대하여 $X_n \cup X_{n+1}$의 원소의 개수가 5이하가 되도록 하는 r^2의 값을 모두 구하시오. (10점)

(2－1) 문제의 조건으로부터 원 위의 점 중 P와의 거리가 1인 점이 원 위에 단 한 개 존재해야 하므로 원의 지름이 1이어야 한다. 따라서 $r = \frac{1}{2}$이다.

(2－2) X_n이 구해지면 X_{n+1}의 점들은 X_n의 점들로부터 거리가 1인 X위의 점들이다. 따라서 X_1, X_2, …을 다음과 같이 차례대로 구할 수 있고, $n = 6$이다.

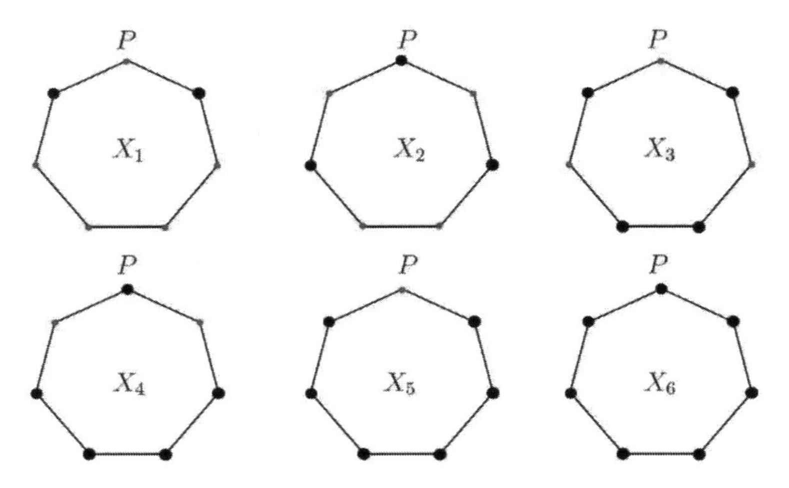

(2－3) X_n $(n \geq 1)$의 임의의 점을 Q라고 하면 Q로부터 거리가 1인 집합 X의 점이 존재하고 이 점은 X_{n+1}에 속하므로 Q는 X_{n+2}의 원소이기도 하다.
따라서 $X_1 \subset X_3 \subset X_5 \subset \cdots$이고 $X_2 \subset X_4 \subset X_6 \subset \cdots$이다.
그러므로 어떤 n에 대하여 X_n에 속하는 점들의 집합을 Y이라고 하면, Y의 임의의 점은 어떤 자연수 n에 대하여 $X_n \cup X_{n+1}$에 속한다.

또한 $r > \frac{1}{2}$이므로 모든 자연수 n에 대하여 X_n의 원소는 2개 이상이다.

(a) 문제의 조건에 의하여 Y의 원소는 기껏해야 6개이다. $r > \frac{1}{2}$이므로 Y는 원소의 개수가 적어도 3개이다. $n(Y) = 3$인 경우 세 점들 사이의 거리는 1이어야 하므로 원 X는 한 변의 길이가 1인 정삼각형에 외접하고 $r = \dfrac{1}{2\sin\frac{2\pi}{3}} = \dfrac{\sqrt{3}}{3}$이다.

$n(Y) = 4$이면 원 X는 한 변의 길이가 1인 정사각형의 외접하고 $r = \frac{\sqrt{2}}{2}$이다.

$n(Y)=5$이면 어떤 n에 대하여 $X_n=X_{n+2}=\cdots=2$이고 $X_{n+1}=X_{n+3}=\cdots=3$이어야 하는데 이런 경우는 X가 원일 때는 불가능하다.
마지막으로 $n(Y)=6$이라고 하자. 어떤 n에 대하여
$X_n=X_{n+2}=\cdots=2$이고 $X_{n+1}=X_{n+3}=\cdots=4$인 경우는 불가능하므로,
어떤 n에 대하여 $X_n=X_{n+1}=X_{n+2}=\cdots=3$이다. 이 경우 원 X가 한 변의 길이가 1인 정육각형에 외접하므로 $r=1$이다.

(b) 문제의 조건에서 $n(Y)\le 5$이어야 한다. (a)에 의하여 $n(Y)=3$이면 $r^2=\frac{1}{3}$, $n(Y)=4$이면 $r^2=\frac{1}{2}$이다. 마지막으로 $n(Y)=5$이라고 하자. 원래의 P대신에 Y의 P가 아닌 네 점 중 하나를 P로 대체해도 집합 Y는 변하지 않으므로, Y의 임의의 이웃하는 두 점 사이의 거리는 모두 같다. 따라서 Y는 정오각형의 꼭짓점의 집합이고, 원 X는 이 정오각형의 외접원이다. 이때 정오각형의 한 변의 길이가 1이거나 대각선의 길이가 1이어야 하는데, 제시문을 이용하면 각각의 경우
$r^2=\left(\frac{1}{2\sin(\pi/5)}\right)^2=\frac{5+\sqrt{5}}{10}$ 또는 $r^2=\left(\frac{5+\sqrt{5}}{10}\right)\left(\frac{2}{1+\sqrt{5}}\right)^2=\frac{5-\sqrt{5}}{10}$이다.

[문제 3] (35점) 다음 제시문을 읽고 물음에 답하시오.

(가) $\lim_{x\to 0}(1+x)^{\frac{1}{x}}$은 존재하고 그 값은 $e=2.7182\cdots$이다.

(나) $x>0$일 때 미분가능한 함수 $f(x)$에 대하여

$$\frac{d}{dx}x^{f(x)}=\frac{d}{dx}e^{f(x)\ln x}=e^{f(x)\ln x}\left(f'(x)\ln x+\frac{f(x)}{x}\right)=x^{f(x)}\left(f'(x)\ln x+\frac{f(x)}{x}\right)$$

이다.

(다) $\ln 2=0.6931\cdots$, $\ln 3=1.0986\cdots$, $\ln 5=1.6094\cdots$이다.

(※) $a^b=b^a$, $a<b$를 만족하는 임의의 양의 실수 a, b에 대하여 $t=\frac{b}{a}$일 때

$$a=f(t),\ b=g(t)(t>1)$$

인 함수 $f(t)$, $g(t)$가 존재한다.

(3－1) $f(t)$, $g(t)$를 t의 식으로 나타내시오. (10점)

(3－2) 함수 $h(t)=f(t)\ln g(t)$ $(t>1)$의 치역을 구하시오. (15점)

(3－3) $a^b=b^a=n$을 만족하는 서로 다른 양의 실수 a, b가 존재하도록 하는 최소의 자연수 n을 구하시오. (10점)

(3-1) $\frac{\ln b}{\ln a}=\frac{b}{a}=t$이므로 $b=a^t=ta$이다. 따라서 $a=t^{\frac{1}{t-1}}$, $b=t^{\frac{t}{t-1}}$이고 $f(t)=t^{\frac{1}{t-1}}$, $g(t)=t^{\frac{t}{t-1}}$이다.

(3-2) $h(t)=\frac{t\ln t}{t-1}e^{\frac{\ln t}{t-1}}$이므로 제시문 (나)의 미분법을 이용하면

$$h'(t)=\frac{(\ln t+1)(t-1)-t\ln t}{(t-1)^2}e^{\frac{\ln t}{t-1}}+\frac{t\ln t}{t-1}e^{\frac{\ln t}{t-1}}\times\frac{1-\frac{1}{t}-\ln t}{(t-1)^2}=\frac{(t-1)^2-t(\ln t)^2}{(t-1)^3}e^{\frac{\ln t}{t-1}}$$

이다. $k(t)=\sqrt{t}-\frac{1}{\sqrt{t}}-\ln t$로 두면,

$t>1$일 때

$$k'(t)=\frac{1}{2\sqrt{t}}+\frac{1}{2t\sqrt{t}}-\frac{1}{t}=\frac{1}{2t\sqrt{t}}(\sqrt{t}-1)^2>0$$

이고 $k(1)=0$이므로 $k(t)>0$이다. 그러므로 $h'(t)>0$이고 $h(t)$는 $t>1$일 때 증가한다. 또한 $\lim_{t\to1}h(t)=e$이고 $\lim_{t\to\infty}h(t)=\infty$이므로 h의 치역은 (e, ∞)이다.

(3-3) (3-2)의 결과에 의해 $b^a=g(t)^{f(t)}=e^{h(t)}$의 범위는 (e^e, ∞)이다. 제시문 (가), (다)에 의하면

$$\ln e^e=e=2.718\cdots,\quad \ln 15=2.708\cdots,\quad \ln 16=2.772\cdots$$

이므로 $15<e^e<16$이다. 따라서 a^b가 될 수 있는 최소의 자연수는 16이다.

9. 2022학년도 인하대 모의 논술

[문제 1] (30점) 다음 제시문을 읽고 물음에 답하시오.

(가) [사인법칙] 삼각형 ABC에서 외접원의 반지름의 길이를 R라고 하면

$$\frac{a}{\sin A}=\frac{b}{\sin B}=\frac{c}{\sin C}=2R$$

이다.

(나) [코사인법칙] 삼각형 ABC에서

$$a^2=b^2+c^2-2bc\cos A$$
$$b^2=c^2+a^2-2ca\cos B$$
$$c^2=a^2+b^2-2ab\cos C$$

이다.

(다) [음함수의 미분법] 음함수 표현 $f(x, y)=0$에서 y를 x의 함수로 보고 양변을 x에 대하여 미분하여 $\frac{dy}{dx}$를 구한다.

(라) $\lim_{x\to0}\frac{\sin x}{x}=1$(단, x의 단위는 라디안)

(※) 단위원 위의 한 점을 $P(\cos\theta, \sin\theta)$라 하자. 여기서 θ는 $0 \le \theta \le \pi$를 만족한다. 점 P로부터 거리가 4와 8인 x축의 양의 방향 위의 점들을 각각 S와 T라 하자.

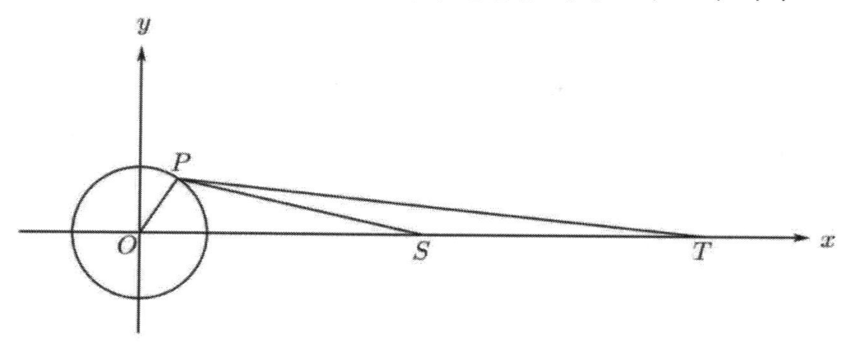

(1－1) (a) 점 S의 x좌표를 변수 θ에 관한 식으로 나타내시오. [5점]

(b) 원점을 O라 하자. 각 $\angle OPS$의 크기를 $f(\theta)$라 할 때, $f'(\pi/2)$의 값을 구하시오. [10점]

(1－2) (a) 각 $\angle PSO$를 θ_1라 하자. $\sin\theta = \frac{1}{5}$일 때, $\sin\theta_1$의 값을 구하시오. [5점]

(b) 각 $\angle SPT$의 크기를 $g(\theta)$라 할 때, 극한값 $\lim_{\theta\to\pi}\frac{g(\theta)}{\pi-\theta}$를 구하시오. [10점]

(1－1) (a) S의 좌표를 $(s, 0)$이라 하자. 선분 PS의 길이는 피타고라스 정리에 의해서 $\sqrt{(\cos\theta - s)^2 + (\sin\theta)^2} = 4$이므로 이것을 s에 대해서 풀면 $s = \cos\theta \pm \sqrt{16-(\sin\theta)^2}$이 된다. S는 x축의 양의 방향 위의 점이고, $|\cos\theta|, |sin\theta| \le 1$이므로 $s = \cos\theta + \sqrt{16-(\sin\theta)^2}$가 된다.

(b) 제시문 (나)를 삼각형 $\triangle OPS$에 적용하면 다음과 같은 관계식을 얻을 수 있다.

$$s^2 = 1^2 + 4^2 - 8\cos f(\theta)$$

이를 제시문 (다)를 이용하여 θ에 대해서 미분하면

$$2s \cdot \frac{ds}{d\theta} = 8\sin f(\theta) \cdot f'(\theta)$$

를 얻을 수 있다. 이 때, (a)의 결과를 θ에 대해서 미분하면, $\frac{ds}{d\theta} = -\sin\theta - \frac{\sin\theta \cdot cos\theta}{\sqrt{16-(\sin\theta)^2}}$임을 알 수 있다. $\theta = \frac{\pi}{2}$일 때, $\frac{ds}{d\theta} = -1$이고, $\sin f(\theta) = \frac{s}{4}$이므로, 두 식을 이용하면 $f'(\theta) = -1$을 얻을 수 있다.

(1－2) (a) 제시문 (가)를 삼각형 $\triangle PSO$에 이용하면, $\sin\theta_1 = \frac{\sin\theta}{4}$이므로 $\sin\theta_1 = \frac{1}{20}$임을 알 수 있다.

(b) 각 $\angle PSO$를 θ_1, 각 $\angle PTO$를 θ_2라 하자. 그러면 $g(\theta) = \theta_1 - \theta_2$이며, (1－2) (a)에서와 같은 방법으로

$$\sin\theta_1 = \frac{\sin\theta}{4},\ \sin\theta_2 = \frac{\sin\theta}{8}$$

임을 쉽게 알 수 있다. 그리고 $\lim_{\theta \to \pi -} g(\theta) = \lim_{\theta \to \pi -} \theta_1 = \lim_{\theta \to \pi -} \theta_2 = 0$**이므로 제시문 (라)에 의해서**

$$\lim_{\theta \to \pi -} \frac{\sin\theta_1}{\theta_1} = \lim_{\theta \to \pi -} \frac{\sin\theta_2}{\theta_2} = 1$$

이 된다.

따라서, 다음과 같이 구하고자 하는 극한을 구할 수 있다.

$$\lim_{\theta \to \pi -} \frac{g(\theta)}{\pi - \theta} = \lim_{\theta \to \pi -} \frac{\theta_1 - \theta_2}{\pi - \theta} = \lim_{\theta \to \pi -} \left(\frac{\theta_1}{\pi - \theta} - \frac{\theta_2}{\pi - \theta} \right) = \lim_{\theta \to \pi -} \left(\frac{\sin\theta_1}{\pi - \theta} \cdot \frac{\theta_1}{\sin\theta_1} - \frac{\sin\theta_2}{\pi - \theta} \cdot \frac{\theta_2}{\sin\theta_2} \right)$$

$$= \lim_{\theta \to \pi -} \frac{\sin\theta_1 - \sin\theta_2}{\pi - \theta} = \lim_{\theta \to \pi -} \frac{\sin\theta}{8(\pi - \theta)} = \frac{1}{8}$$

[문제 2] (35점) 다음 제시문을 읽고 물음에 답하시오.

(가) 구간 $[a, b]$에서 일대일인 연속함수 $g(x)$와 구간 $[c, d]$에서 정의된 연속함수 $h(x)$에 대하여, $h(x)$의 치역이 함수 $g(x)$의 치역의 부분집합이라고 하자. 이때, 구간 $[c, d]$에 속하는 모든 실수 α에 대하여 $f(\alpha)$를 $g(\beta) = h(\alpha)$가 성립하는 수 $\beta(a < \beta < b)$로 정의하면, $f(x)$는 구간 $[c, d]$에서 정의된 함수이다.

구간 $[c, d]$의 임의의 실수 α에 대하여, 함수 $f(x)$의 정의를 따르면 $g(f(\alpha)) = h(\alpha)$이고 함수 $g(x)$와 함수 $h(x)$는 연속함수이므로,

$$g\left(\lim_{x \to \alpha} f(x)\right) = \lim_{x \to \alpha} g(f(x)) = \lim_{x \to \alpha} h(x) = h(\alpha)$$

이고 $g(x)$가 일대일 함수라는 사실로부터 $\lim_{x \to \alpha} f(x) = f(\alpha)$를 얻는다.

따라서 $f(x)$는 구간 $[c, d]$에서 연속이고 $(g \circ f)(x) = h(x)$이다.

(나) [사잇값의 정리] 함수 $f(x)$가 닫힌구간 $[a, b]$에서 연속이고 $f(a) \neq f(b)$일 때, $f(a)$와 $f(b)$사이의 임의의 값 k에 대하여 $f(c) = k$인 c가 열린구간 (a, b)에 적어도 하나 존재한다.

(2-1) 실수 전체의 집합에서 연속인 함수 $f(x)$**가 모든 실수** x**에 대하여** $0 \leq f(x) \leq 2\pi$**이고** $\sin f(x) = \cos x$**를 만족할 때,** $f\left(\frac{5\pi}{2}\right)$**의 값을 구하시오. [10점]**

(2-2) 구간 $[a, b]$**에서 연속인 함수** $f(x)$**가** $\sin f(x) = |x| - |x-3| + |x-4| - 3$**을 만족할 때,** $b - a$**의 최댓값을 구하시오. [10점]**

(2-3) 실수 a_1, a_2, a_3, a_4**가 다음 조건을 만족한다.**

(i) $a_n < a_{n+1} (n = 1, 2, 3)$

(ii) $a_n \leq x \leq a_{n+1}$인 실수 x에 대하여 $\sin f(x) = \cos(nx) + 1 (n = 1, 2, 3)$이고, 실수 전체의 집합에서 연속인 함수 $f(x)$가 존재한다.

$a_1 = \frac{\pi}{2}$**일 때,** a_2, a_3**의 값을 구하고** a_4**의 최댓값을 구하시오. [15점]**

(2-1) 등식 $\sin f(x) = \cos x$에 $x = 2\pi$와 $x = 3\pi$를 대입하면 $f(2\pi) = \frac{\pi}{2}$, $f(3\pi) = \frac{3\pi}{2}$임을 알 수 있다. 사잇값의 정리에 의해 $f(c) = \pi$인 $c(2\pi < c < 3\pi)$가 존재하고 이 때 $\cos c = \sin f(c) = 0$이어야 하므로, c의 값은 $\frac{5\pi}{2}$이어야 한다. 따라서 $f\left(\frac{5\pi}{2}\right) = \pi$이다.

(2-2) 함수 $h(x) = |x| - |x-3| + |x-4| - 3$의 그래프는 다음과 같다.

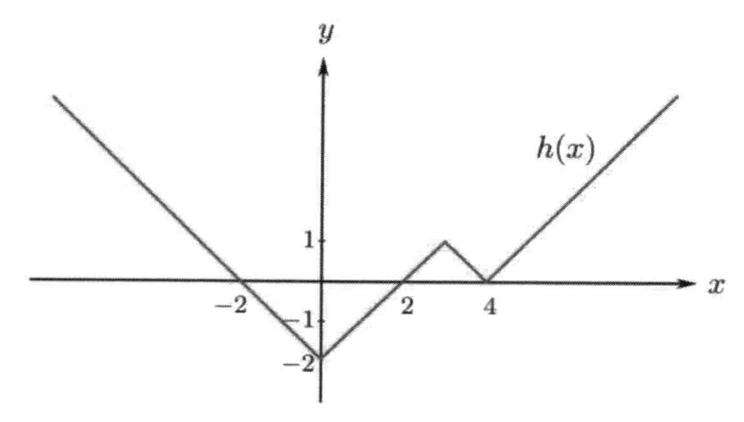

$\sin f(x) = h(x)$인 연속함수 $f(x)$가 존재하려면 $h(x)$의 치역이 사인함수의 치역인 $[-1, 1]$에 포함되어야 하므로, $h(x)$의 정의역 $[a, b]$는 구간 $[-3, -1]$에 포함되거나 또는 $[1, 5]$에 포함되어야 한다. 사인함수 $g(x) = \sin x$는 구간 $\left[\frac{\pi}{2}, \frac{3\pi}{2}\right]$에서 일대일인 연속함수이고 $g(x)$의 치역 $[-1, 1]$은 $[-3, -1]$ 또는 $[1, 5]$에서 정의된 연속함수 $h(x)$의 치역을 포함하므로, 제시문 (가)에 의하여 $g(f(x)) = h(x)$이고 구간 $[-3, -1]$과 $[1, 5]$에서 연속인 함수 $f(x)$가 각각 존재한다. $b-a$가 최대이려면 $a=1$, $b=5$이고, 이때 $b-a=4$이다.

(2-3) 조건을 만족하는 연속함수 $f(x)$가 존재하려면,

(A) $a_n \le x \le a_{n+1}$일 때 부등식 $-1 \le \cos nx + 1 \le 1$이 성립해야 하고

(B) $n=1$, 2일 때 $\cos na_{n+1} + 1 = \cos(n+1)a_{n+1} + 1$이어야 한다.

이 조건들을 다시 정리해 보면

(A) $a_n \le x \le a_{n+1} (n=1, 2, 3)$일 때 $\cos nx \le 0$이고

$\cos na_{n+1} = \cos(n+1)a_{n+1}$ $(n=1, 2)$이 성립하려면 $(n+1)a_{n+1} = \pm na_{n+1} + 2k\pi$이어야 한다.

따라서

(B) $a_{n+1} = 2k\pi$ 또는 $a_{n+1} = \frac{2k\pi}{2n+1}$이다 (단, k는 정수)

(A)에 의하여 $\frac{\pi}{2} \le x \le a_2$일 때, 부등식 $\cos x \le 0$가 성립해야 하므로, $a_2 \le \frac{3\pi}{2}$이다.

따라서 (B)에 의하여 $a_2 = \frac{2\pi}{3}$ 또는 $\frac{4\pi}{3}$이다.

$a_2=\frac{2\pi}{3}$인 경우 $\frac{2\pi}{3}\le x\le a_3$일 때 부등식 $\cos 2x\le 0$이 성립해야 하므로 $a_3\le\frac{3\pi}{4}$이다.

(B)에 의하여 $a_3=\frac{2k\pi}{5}$(k는 정수)이어야 하는데, 이런 꼴의 값 중에 $\frac{2\pi}{3}$와 $\frac{3\pi}{4}$사이의 값은 존재하지 않는다. 따라서 $a_2=\frac{2\pi}{3}$일 수 없다.

$a_2=\frac{4\pi}{3}$인 경우 $\frac{4\pi}{3}\le x\le a_3$일 때 부등식 $\cos 2x\le 0$이 성립해야 하므로 $a_3\le\frac{7\pi}{4}$이다.

$a_3=\frac{2k\pi}{5}$(k는 정수) 꼴의 값 중에서 $\frac{4\pi}{3}$와 $\frac{7\pi}{4}$사이의 값은 $a_3=\frac{8\pi}{5}$가 유일하다.

$\frac{8\pi}{5}\le x\le a_4$일 때 부등식 $\cos 3x\le 0$이 성립하는 가장 큰 a_4의 값은 $\frac{11\pi}{6}$이다.

따라서 $a_2=\frac{4\pi}{3}$, $a_3=\frac{8\pi}{5}$이고, a_4의 최댓값은 $\frac{11\pi}{6}$이다.

[문제 3] (35점) 다음 제시문을 읽고 물음에 답하시오.

(가) [부분적분법] 함수 $f(x)$, $g(x)$가 미분가능하고 $f'(x)$, $g'(x)$가 연속일 때,

$$\int_a^b f'(x)g(x)dx=[f(x)g(x)]_a^b-\int_a^b f(x)g'(x)dx$$

가 성립한다.

(나) $x_1\neq x_2$일 때, 두 점 $(x_1,\ y_1)$, $(x_2,\ y_2)$를 지나는 직선의 방정식은

$$y-y_1=\frac{y_2-y_1}{x_2-x_1}(x-x_1)$$

이다.

(3-1) 상수 a, b에 대하여 다음을 만족하는 이차함수 $g(x)$를 구하시오. [15점]

실수 전체의 집합에서 두 번 미분가능하고 $f''(x)$가 연속이며 $f(a)=f(b)=0$인 임의의 함수 $f(x)$에 대하여

$$\int_a^b f(x)dx=\int_a^b g(x)f''(x)dx$$

이다.

(3-2) (3-1)에서 구한 함수 $g(x)$와 실수 전체의 집합에서 두 번 미분 가능하고 $f''(x)$가 연속인 함수 $f(x)$에 대하여

$$\int_a^b f(x)dx=\frac{(f(a)+f(b))(b-a)}{2}+\int_a^b g(x)f''(x)dx$$

가 성립함을 보이시오. [10점]

(3-3) $\frac{1}{2\sqrt{e}}+\frac{1}{2}\le\int_0^1 e^{-\frac{x^2}{2}}dx\le\frac{1}{2\sqrt{e}}+\frac{67}{120}$임을 보이시오. [10점]

(3－1) 제시문 (가)에 의하여

$$\int_a^b f(x)dx = \left[\frac{2x-a-b}{2}f(x)\right]_a^b - \int_a^b \frac{2x-a-b}{2}f'(x)dx = -\int_a^b \frac{2x-a-b}{2}f'(x)dx$$

이고,

$$\int_a^b \frac{2x-a-b}{2}f'(x)dx = \left[\frac{x^2-(a+b)x+ab}{2}f'(x)\right]_a^b - \int_a^b \frac{x^2-(a+b)x+ab}{2}f''(x)dx$$
$$= -\int_a^b \frac{(x-a)(x-b)}{2}f''(x)dx$$

이다. 따라서 $g(x)=\dfrac{(x-a)(x-b)}{2}$**에 대하여** $\displaystyle\int_a^b f(x)dx = \int_a^b g(x)f''(x)dx$**이다.**

(3－2)

$h(x)=f(x)-\dfrac{f(b)-f(a)}{b-a}(x-a)-f(a)$**로 두면**

$$h(a)=h(b)=0,\quad h''(x)=f''(x)$$

이다. (3－1)의 결과를 이용하면

$$\begin{aligned}\int_a^b \frac{(x-a)(x-b)}{2}f''(x)dx &= \int_a^b \frac{(x-a)(x-b)}{2}h''(x)dx\\ &= \int_a^b h(x)dx\\ &= \int_a^b \left\{f(x)-\frac{f(b)-f(a)}{b-a}(x-a)-f(a)\right\}dx\\ &= \int_a^b f(x)dx - \frac{(f(a)+f(b))(b-a)}{2}\end{aligned}$$

이다. 따라서

$$\int_a^b f(x)dx = \frac{(f(a)+f(b))(b-a)}{2} + \int_a^b g(x)f''(x)dx$$

가 성립한다.

(3－3) $f(x)=e^{-\frac{x^2}{2}}$ **이면** $f''(x)=(x^2-1)e^{-\frac{x^2}{2}}$ **이다. (3－2)의 결과를 이용하면**

$$\int_0^1 e^{-\frac{x^2}{2}}dx = \frac{1+e^{-\frac{1}{2}}}{2} + \int_0^1 \frac{x(x-1)(x^2-1)}{2}e^{-\frac{x^2}{2}}dx$$

이다. 또한 $0 \le \displaystyle\int_0^1 \frac{x(x-1)(x^2-1)}{2}e^{-\frac{x^2}{2}}dx \le \int_0^1 \frac{x(x-1)(x^2-1)}{2}dx = \frac{7}{120}$

이므로 $\dfrac{1}{2\sqrt{e}}+\dfrac{1}{2} \le \displaystyle\int_0^1 e^{-\frac{x^2}{2}}dx \le \dfrac{1}{2\sqrt{e}}+\dfrac{67}{120}$ **이다.**

10. 2021학년도 인하대 수시 논술 (오전)

[문제 1] (30점) 다음 제시문을 읽고 물음에 답하시오.

(가) 계수가 실수인 삼차다항식 x^3+ax^2+bx+c가 실수 α, β, γ에 대해 $(x-\alpha)(x-\beta)(x-\gamma)$로 인수분해 되는 경우, 삼차방정식 $x^3+ax^2+bx+c=0$은 세 실근 α, β, γ를 갖는다고 한다. (단, α, β, γ의 값이 서로 다를 필요는 없다.)

(나) 계수가 실수인 삼차방정식 $x^3+ax^2+bx+c=0$이 세 실근 α, β, γ를 기지면, 등식

$$x^3+ax^2+bx+c=(x-\alpha)(x-\beta)(x-\gamma)$$
$$=x^3-(\alpha+\beta+\gamma)x^2+(\alpha\beta+\beta\gamma+\gamma\alpha)x-\alpha\beta\gamma$$

가 성립하므로 근과 계수 사이에는 다음과 같은 관계가 성립한다.

$$\alpha+\beta+\gamma=-a,\ \alpha\beta+\beta\gamma+\gamma\alpha=b,\ \alpha\beta\gamma=-c$$

(1-1) 삼차방정식 $x^3-x-t=0$이 서로 다른 세 실근을 갖도록 하는 실수 t의 값의 범위를 구하시오. (8점)

(1-2) 삼차방정식 $x^3-x-t=0$이 세 실근 α, β, γ $(\alpha \le \beta \le \gamma)$를 갖는다.

(a) 실근 β의 값의 범위를 구하시오. (5점)

(b) 곡선 $y=x^3-x-t$와 x축으로 둘러 싸인 도형의 넓이 S를 β로 나타내고, S의 최솟값을 구하시오. (15점)

(1-1)

$x^3-x-t=0$의 근을 함수 $y=x^3-x$와 $y=t$의 그래프들의 교점으로 생각하자. 함수 $y=x^3-x$가 $x=-1/\sqrt{3}$에서 극댓값 $2/\sqrt{3^3}$과 $x=1/\sqrt{3}$에서 극솟값 $-2/\sqrt{3^3}$을 갖는다. 따라서 $-2/\sqrt{3^3}<t<2/\sqrt{3^3}$일 때, 사잇값 정리에 의해서 $\alpha< -1/\sqrt{3}<\beta<1/\sqrt{3}<\gamma$인 세 근을 갖는다.

(1-2)

(a) (1-1)에서와 같이 구하고자 하는 방정식의 근을 $y=x^3-x$와 $y=t$의 교점으로 생각하자. $-2/\sqrt{3^3}<t<2/\sqrt{3^3}$인 경우 문항 (1-1)에서와 같이 사잇값 정리에 의해서 극대점과 극소점 사이에서 두 번째 근을 갖는다. 따라서 $-1/\sqrt{3}<\beta<1/\sqrt{3}$. 그런데 $t=2/\sqrt{3^3}$, $t=-2/\sqrt{3^3}$인 경우, 각각 $x=-1/\sqrt{3}$, $x=1/\sqrt{3}$에서 중근을 가지므로 β의 값은 $-1/\sqrt{3} \le \beta \le 1/\sqrt{3}$을 만족한다. 나머지 t값의 경우 1개의 실근과 2개의 허근을 갖는다.

(1-2)

(b) 제시문 (나)에서 주어진 근과 계수의 관계를 이용하면 다음을 얻을 수 있다.

$\alpha+\beta+\gamma=0$, $\alpha\beta+\beta\gamma+\gamma\alpha=-1$, $\alpha\beta\gamma=t$, $\alpha^3-\alpha=t$, $\beta^3-\beta=t$, $\gamma^3-\gamma=t$. **이용하여 다음 정적분을** β**에 관하여 풀면 다음과 같다.**

$$A=\int_\alpha^\gamma |x^3-x-t|dx=\int_\alpha^\beta (x^3-x-t)dx-\int_\beta^\gamma (x^3-x-t)dx$$

$$=\beta^4/2-\alpha^4/4-\gamma^4/4-\beta^2+\alpha^2/2+\gamma^2/2-t(2\beta-\alpha-\gamma)$$

$$=\beta(\beta+t)/2-\alpha(\alpha+t)/4-\gamma(\gamma+t)/4-\beta^2+\alpha^2/2+\gamma^2/2-t(2\beta-\alpha-\gamma)$$

$$=\frac{\alpha^2}{4}+\frac{\gamma^2}{4}-\frac{\beta^2}{2}-(t-t/4)(2\beta-\alpha-\gamma)$$

$$=\frac{1}{4}(\beta^2-2\alpha\gamma)-\frac{\beta^2}{2}-\frac{3t}{4}(3\beta)$$

$$=\frac{1}{4}(2-3\beta^2-9t\beta)=\frac{1}{4}(-9\beta^4+6\beta^2+2)=-\frac{9}{4}\left(\beta^2-\frac{1}{3}\right)^2+\frac{3}{4}$$

문항 (1-2)(a)에서 $-1/\sqrt{3}\le\beta\le 1/\sqrt{3}$ **이므로 기본적인 부등식의 연산을 이용하면** $0\le\beta^2\le\frac{1}{3}$ **및** $0\le\left(\beta^2-\frac{1}{3}\right)^2\le\frac{1}{9}$ **가 되어 넓이의 최솟값은** $\beta=0$**일 때** $\frac{1}{2}$**이다.**

[문제 2] 다음 제시문을 읽고 물음에 답하시오.

(가) 실수 전체의 집합에서 연속인 함수 $f(x)$에 대하여

$$\frac{d}{dx}\int_0^x f(t)dt=f(x)$$

가 성립한다.

(나) 다음 삼각함수의 극한이 성립한다.

$$\lim_{x\to 0}\frac{\sin x}{x}=1$$

(다) $\sin^2 x$의 부정적분은 다음과 같다.

$$\int \sin^2 x dx=\frac{x}{2}-\frac{\sin 2x}{4}+C \quad (C\text{는 적분상수})$$

※ 실수 전체의 집합에서 연속인 함수 $f(x)$**는**

$$\int_0^x (x^2-t^2)f(t)dt=x\sin^2 x$$

를 만족한다.

(2-1) 함수 $f(x)$**의 한 부정적분을** $F(x)$**라고 할 때,** $\int_0^\pi x^2(F(x)-F(0))dx$**의 값을 구하시오.**

(2-2) $f(0)$**의 값을 구하시오.**

(2-3) 닫힌구간 $[0, 10]$에서 함수 $h(x)=\int_0^x (x^3-t^3)f(t)dt$의 최솟값을 구하시오.

(2−1) 주어진 등식을 미분하면 $2x\int_0^x f(t)dt=\frac{d}{dx}(x\sin^2 x)$**이므로**

$$x(F(x)-F(0))=\frac{1}{2}\frac{d}{dx}(x\sin^2 x)$$

를 얻는다.

부분적분법과 제시문 (다)를 이용하면

$$\int x\sin^2 x dx = x\left(\frac{x}{2}-\frac{\sin 2x}{4}\right)-\int\left(\frac{x}{2}-\frac{\sin 2x}{4}\right)dx$$

$$=\frac{x^2}{4}-\frac{x\sin 2x}{4}-\frac{\cos 2x}{8}+C$$

이다. 따라서

$$\int_0^{\pi} x^2(F(x)-F(0))dx=\left[\frac{1}{2}x^2\sin^2 x\right]_0^{\pi}-\int_0^{\pi}\frac{1}{2}x\sin^2 x dx$$

$$=-\int_0^{\pi}\frac{1}{2}x\sin^2 x dx$$

$$=-\left[\frac{x^2}{8}-\frac{x\sin 2x}{8}-\frac{\cos 2x}{16}\right]_0^{\pi}=-\frac{\pi^2}{8}$$

이다.

(2−2)

$x\neq 0$**이면** $\int_0^x f(t)dt=\frac{\sin^2 x}{2x}+\sin x\cos x$**이므로**

$$f(x)=\frac{\sin x\cos x}{x}-\frac{\sin^2 x}{2x^2}+\cos^2 x-\sin^2 x$$

이다. f**는 연속이므로** $f(0)=\lim_{x\to 0}\left[\frac{\sin x\cos x}{x}-\frac{\sin^2 x}{2x^2}+\cos^2 x-\sin^2 x\right]=\frac{3}{2}$ **이다.**

(2−3)

$h'(x)=3x^2\int_0^x f(t)dt=\frac{3}{2}x\frac{d}{dx}(x\sin^2 x)=\frac{3}{2}x\sin x(\sin x+2x\cos x)$**이다.**

$h'(x)$**는** $\sin x=0$**이거나** $\tan x=-2x$**일 때** $h'(x)$**의 부호가 바뀌고 극값을 갖는다. 곡선** $y=\tan x$**와 직선** $y=-2x$**을 그려보면** $0<x<\pi$, $\pi<x<2\pi$, $2\pi<x<3\pi$**일 때 각각 1개씩, 모두 3개의 교점을 갖는다.**

그러므로 함수 $h(x)$**의 증감표는 다음과 같다.**

x	0	$\cdots$	a_1	$\cdots$	π	$\cdots$	a_2	$\cdots$	2π	$\cdots$	a_3	$\cdots$	3π	$\cdots$	10
$h'(x)$		+	0	−	0	+	0	−	0	+	0	−	0	+	
$h(x)$	0	↗		↘		↗		↘		↗		↘		↗	

(2−1)과 같은 방법으로

$$h(n\pi)=\int_0^{n\pi}\frac{3}{2}x\frac{d}{dx}(x\sin^2 x)dx=\left[\frac{3}{2}x^2\sin^2 x\right]_0^{n\pi}-\int_0^{n\pi}\frac{3}{2}x\sin^2 xdx$$

$$=-\int_0^{n\pi}\frac{3}{2}x\sin^2 xdx$$

$$=-\frac{3}{2}\left[\frac{x^2}{4}-\frac{x\sin 2x}{4}-\frac{\cos 2x}{8}\right]_0^{n\pi}=-\frac{3n^2\pi^2}{8}$$

이므로, $h(x)$는 구간 $[0,\ 10]$에서 최솟값 $h(3\pi)=-\dfrac{27}{8}\pi^2$을 가진다.

[문제 3] 다음 제시문을 읽고 물음에 답하시오.

(가) 좌표평면 위의 임의의 세 점 A, B, C에 대하여, 부등식 $\overline{AB}+\overline{BC}\geq\overline{AC}$가 성립한다. 역으로, 좌표평면 위에 임의의 두 점 A, B가 있고, 임의의 두 양수 p, q가 부등식

$$|p-q|\leq\overline{AB}\leq p+q$$

를 만족하면, $\overline{AC}=p$, $\overline{BC}=q$인 점 C가 좌표평면 위에 존재한다.

(나) (코사인법칙) 삼각형 ABC의 세 변의 길이를 $\overline{BC}=a$, $\overline{CA}=b$, $\overline{AB}=c$라고 하면,

$$a^2=b^2+c^2-2bc\cos A$$

가 성립한다.

(3-1) 좌표평면에서 $\overline{OP_1}=10$, $\overline{P_1P_2}=20$인 점 P_1이 존재하는 점 P_2의 집합을 S라고 할 때, 도형 S의 넓이를 구하시오.

(3-2) 좌표평면에서 $\overline{OP_1}=a_1$, $\overline{P_1P_2}=a_2$, $\overline{P_2P_3}=a_3$인 두 점 P_1, P_2가 존재하는 점 P_3의 집합이 $\{P\mid\overline{OP}\leq 9\}$가 되도록 하는 자연수 a_1, a_2, a_3의 순서쌍 (a_1, a_2, a_3)의 개수를 구하시오.

(3-3) 자연수 a_1, a_2, a_3과 실수 θ $(0\leq\theta<\pi)$에 대하여 다음 조건을 만족하는 좌표평면 위의 점 P_3의 집합을 T_θ라고 하자.

$\overline{OP_1}=a_1$, $\overline{P_1P_2}=a_2$, $\overline{P_2P_3}=a_3$이고 $\theta\leq\angle OP_1P_2\leq\pi$와 $\theta\leq\angle P_1P_2P_3\leq\pi$를 만족하는 두 점 P_1, P_2가 존재한다.

(3-2)의 자연수 a_1, a_2, a_3에 대하여, 집합 T_θ가 집합 $\{P\mid\overline{OP}\leq 9\}$와 같아지도록 하는 θ의 값의 범위는 $0\leq\theta\leq\alpha$이다.

(a) $a_1=2$, $a_2=3$, $a_3=4$일 때, $\cos\alpha$의 값을 구하시오.

(b) α가 최대가 되도록 하는 자연수 a_1, a_2, a_3의 값을 찾고, 이때의 $\cos\alpha$의 값을 구하시오.

(3-1)

제시문 (가)에 의해

$$\overline{OP_2}\le\overline{OP_1}+\overline{P_2P_2}=30,\ \overline{OP_2}\ge\overline{P_2P_2}-\overline{OP_1}=10$$

이고, 실제로 $10\le\overline{OP_2}\le 30$**인 좌표평면의 점** P_2**에 대하여 제시문 (가)에 의하여** $\overline{OP_1}=10$, $\overline{P_1P_2}=20$**인** P_1**이 존재한다. 따라서 주어진 집합은** $\{P|10\le\overline{OP}\le 30\}$**과 같고, 넓이는** 800π**이다.**

(3-2)

조건을 만족하는 점 P_3**의 집합을** T**라고 하자. 제시문 (가)에 의해**

$$\overline{OP_3}\le\overline{OP_2}+\overline{P_2P_3}\le\left(\overline{OP_1}+\overline{P_1P_2}\right)+\overline{P_2P_3}\le a_1+a_2+a_3$$

이다. $\overline{OP_3}$**의 최댓값은** O, P_1, P_2, P_3**가 직선 위에 이 순서대로 놓여 있을 때이고, 이때** $\overline{OP_3}=a_1+a_2+a_3=9$**를 만족하므로 조건을 만족할 때** $a_1+a_2+a_3=9$**이여야 한다.**

(a) $P\in T$**이고** $\overline{OA}=\overline{OP}$**라고 가정하자. 그러면 점** A**는 점** P**를 원점을 중심으로 회전해서 얻어진다. 이때** $\overline{OP_1}=a_1$, $\overline{P_1P_2}=a_2$, $\overline{P_2P}=a_3$**인 두 점** P_1, P_2**가 존재하는데 같은 회전에 의해서** P_1, P_2**가 옮겨진 점을 각각** A_1, A_2**라고 하면,** $\overline{OA_1}=a_1$, $\overline{A_1A_2}=a_2$, $\overline{A_2A}=a_3$**이므로** $A\in T$**이다.**

(b) $P\in T$**이고** $\overline{OP}<r<a_1+a_2+a_3$**라고 가정하자. 정의에 의하여** $\overline{OP_1}=a_1$, $\overline{P_1P_2}=a_2$, $\overline{P_2P_3}=a_3$**인 두 점** P_1, P_2**가 존재하며,** $\angle OP_1P_2=\alpha_1$, $\angle P_1P_2P_3=\alpha_2$**라고 하자.**

$\alpha_1\le\theta\le\pi$**인 임의의 실수** θ**에 대하여** $\overline{P_1P_2{}'}=a_2$, $\overline{P_2{}'P_3{}'}=a_3$, $\angle OP_1P_2{}'=\theta$, $\angle P_1P_2{}'P_3{}'=\alpha_2$**인 점** $P_2{}'$, $P_3{}'$**를 잡아서** $f(\theta)=\overline{OP_3{}'}$**라고 정의하자. 마찬가지로,**

$\alpha_2\le\theta\le\pi$**인 임의의 실수** θ**에 대하여** $\overline{P_1P_2{}'}=a_2$, $\overline{P_2{}'P_3{}'}=a_3$, $\angle OP_1P_2{}'=\pi$, $\angle P_1P_2{}'P_3{}'=\theta$**인 점** $P_2{}'$, $P_3{}'$**를 잡아서** $f(\theta)=\overline{OP_3{}'}$**라고 정의하자. 그러면** $f(\alpha_1)=\overline{OP}$, $f(\pi)=g(\alpha_2)$, $g(\pi)=a_1+a_2+a_3$**이고** $f(\theta)$**와** $g(\theta)$**는 연속함수이므로 사잇값 정리에 의하여** $g(t)=r$**인** $t(\alpha_1<t\le\pi)$ **또는** $g(t)=r$**인** $t(\alpha_2\le t<\pi)$**가 존재한다. 따라서** $\overline{OP_3{}'}=r$**인 어떤 점** $P_3{}'$**이 집합** T**의 원소이다.**

(a), (b)에 의하여 $T=\{P|\overline{OP}\le 9\}$**일 필요충분조건은** $a_1+a_2+a_3=9$**이고** $O\in T$**인 것이다.** $O\in T$**이려면** $\overline{OP_1}=a_1$, $\overline{P_1P_2}=a_2$, $\overline{OP_2}=a_3$**인 두 점** P_1, P_2**가 존재해야하며 이는 세 자연수** a_1, a_2, a_3**중에 가장 큰 것** a**가 다른 두 자연수의 합** $9-a$**보다 작거나 같을 때이다. 따라서 자연수** a_1, a_2, a_3**가 조건을 만족하려면,** $a_1+a_2+a_3=9$**이고,** a_1, a_2, $a_3\le 4$**이어야 한다.**

순서쌍 (a_1, a_2, a_3)의 개수를 세기 위해, a_1, a_2, a_3 중 하나가 5이상인 것을 빼주면 ${}_3H_6 - 3\times{}_2H_0 - 3\times{}_2H_1 - 3\times{}_2H_2 = {}_8C_2 - 3\times{}_1C_1 - 3\times{}_2C_1 - 3\times{}_3C_1 = 10$개다. (또는 중복조합을 쓰지 않고 순서쌍의 개수를 모두 세어도 된다.)

(3－3) 문제 (3－2)의 조건을 만족하는 세 자연수 a_1, a_2, a_3에 대하여, $T_\theta = \{P|\overline{OP} \le 9\}$일 필요충분조건은 $O \in T_\theta$인 것이다. 따라서 $\overline{OP_1} = a_1$, $\overline{P_1P_2} = a_2$, $\overline{OP_2} = a_3$인 삼각형 OP_1P_2의 두 각 $\angle P_1$, $\angle P_2$중에 작은 값이 α가 된다.

(a) $a_1 = 2$, $a_2 = 3$, $a_4 = 4$이므로 $\angle P_2 < \angle P_1$이다. 따라서 코사인법칙에 의해 $\alpha = \angle P_2 = \dfrac{3^2+4^2-2^2}{2\times3\times4} = \dfrac{7}{8}$이다.

(b) α가 최대인 경우는 $a_1 = 4$, $a_2 = 1$, $a_3 = 4$인 경우이고 $\cos\alpha = \dfrac{4^2+1^2-4^2}{2\times4\times1} = \dfrac{1}{8}$이다.

11. 2021학년도 인하대 수시 논술 (오후)

[문제 1] 다음 제시문을 읽고 물음에 답하시오.

(이차방정식의 근의 판별) 계수가 실수인 이차방정식 $ax^2+bx+c=0$에서 $D=b^2-4ac$라고 할 때

(1) $D>0$이면 서로 다른 두 실근을 갖는다.

(2) $D=0$이면 중근 (서로 같은 두 실근)을 갖는다.

(3) $D<0$이면 서로 다른 두 허근을 갖는다.

(1-1) 이차함수 $y=(x-p)^2+p^2+2$의 그래프가 점 $(1, 7)$을 지나도록 하는 실수 p의 값을 모두 구하시오.

(1-2) 점 (a, b)에 대하여 곡선 $y=(x-p)^2+p^2+2$가 점 (a, b)를 지나도록 하는 실수 p가 존재할 때, a, b가 만족하는 조건을 구하시오.

(1-3) 점 $(-12, -1)$로부터 곡선 $y=(x-p)^2+p^2+2$ 위의 점까지의 거리 중 최솟값을 $f(p)$라고 하자. 함수 $f(p)$의 최솟값을 구하시오.

(1－1)

점 (1, 7)을 이차함수에 대입하여 얻은 방정식 $7=(1-p)^2+p^2+2$의 해를 구하면 된다. $p=2$ 또는 $p=-1$이 되어 $(-1,\ 3)$, $(2,\ 6)$이 구하고자 하는 점이다.

(1－2)

이차함수 $y=(x-p)^2+p^2+2$의 그래프가 점 $(a,\ b)$를 지나면 $b=(a-p)^2+p^2+2$을 만족하는 실수 p가 존재한다. 방정식을 p에 대해서 정리하면 $2p^2-2ap+a^2-b+2=0$. 실근이 존재하기 위해서는 제시문에 의해 $D=a^2-2(a^2-b+2)\ge 0$가 된다. 따라서 $b \ge (a^2+4)/2$.

(1 − 3)

구하고자 하는 최솟값은 점 $(a,\ b)$를 지나는 이차함수 $y=(x-p)^2+p^2+2$의 그래프가 존재하는 모든 점 $(a,\ b)$에 대해서 $(-12,\ -1)$로부터의 거리 $\sqrt{(a+12)^2+(b+1)^2}$ 중 최솟값을 구하면 된다. 이를 만족하는 $a,\ b$의 조건은 문제 (1−2)에서와 같이 $b \ge (a^2+4)/2$를 만족한다. 따라서 $b+1 \ge (a^2+4)/2+1 > 0$이므로

$$\sqrt{(a+12)^2+(b+1)^2} \ge \sqrt{(a+12)^2+((a^2+4)/2+1)^2}$$

가 성립하고 따라서 $\sqrt{(a+12)^2+((a^2+4)/2+1)^2}$의 최솟값을 구하면 된다. 함수 $f(a)=(a+12)^2+((a^2+4)/2+1)^2$의 도함수는 $f'(a)=a^3+8a+24=(a^2-2a+12)(a+2)$이고 $a^2-2a+12=(a-1)^2+11>0$이므로 $a<-2$에서는 $f'(a)<0$이고 $a>-2$에서는 $f'(a)>0$이므로 $a=-2$에서 최솟값을 갖는다. 그러므로 구하고자 하는 거리는 $(10^2+25)^{1/2}=\sqrt{125}$가 된다.

별해 (1−3) 구하고자 하는 최솟값은 점 $(a,\ b)$를 지나는 이차함수 $y=(x-p)^2+p^2+2$의 그래프가 존재하는 모든 점 $(a,\ b)$에 대해서 $(-12,\ -1)$로부터의 거리 $\sqrt{(a+12)^2+(b+1)^2}$ 중 최솟값을 구하면 된다. 이를 만족하는 $a,\ b$의 조건은 문제 (1−2)에서와 같이 $b \ge q(a^2+4)/2$를 만족한다. 따라서 $b+1 \ge q(a^2+4)/2+1 > 0$이므로

$$\sqrt{(a+12)^2+(b+1)^2} \ge \sqrt{(a+12)^2+((a^2+4)/2+1)^2}$$

가 된다. 따라서 $b=(a^2+4)/2$를 만족하는 $(a,\ b)$에서 $(-12,\ -1)$까지의 거리 중 최솟값을 구하면 된다. $y=(x^2+4)/2$위의 한 점 $(a,\ b)$에서의 법선의 방정식은 $y=-\dfrac{1}{a}(x-a)+\dfrac{a^2+4}{2}$가 된다. 거리가 최소가 될 때는 이 법선이 $(-12,\ -1)$을 지날 때이므로 대입하여 방정식을 정리하면 $(a+2)(a^2-2a+12)=0$이 되어 $a=-2$일 때 $(-12,\ -1)$과의 거리가 최소가 된다. 이때 거리는 $\sqrt{125}$가 된다.

[문제 2] 다음 제시문을 읽고 물음에 답하시오.

(사잇값 정리) 함수 $f(x)$가 닫힌구간 $[a,b]$에서 연속이고 $f(a)\neq f(b)$이면 $f(a)$와 $f(b)$ 사이에 있는 임의의 실수 k에 대하여 $f(c)=k$인 c가 열린구간 (a,b)에 적어도 하나 존재한다.

(2-1) $0 \le t \le 2\pi$인 실수 t에 대하여 곡선 $y=2\sin x$와 직선 $y=x-t$의 교점이 1개가 되도록 하는 t의 값의 범위를 구하시오.

(2-2) 양수 α에 대하여 함수 $g(t)$는 다음 조건을 만족한다.

> (i) $g(t)$는 구간 $[0,2\pi)$에서 연속이다.
> (ii) $0 \le t < 2\pi$인 모든 실수 t에 대하여 $2\sin(g(t))=g(t)-\alpha t$이다.

(a) $\alpha=1$일 때, $k \le g(0) < k+1$을 만족하는 정수 k의 값을 구하시오.

(b) 위 조건을 만족하는 함수 $g(t)$가 존재하도록 하는 α의 값 중에서 가장 큰 값을 구하시오.

(2−1) $y=2\sin x$함수의 그래프의 개형으로부터 구하려는 t는 직선 $y=x-t$가 곡선 $y=2\sin x$와 $-\pi<x<0$에서 접할 때와 $2\pi<x<3\pi$에서 접할 때의 사이에 있는 경우이다.

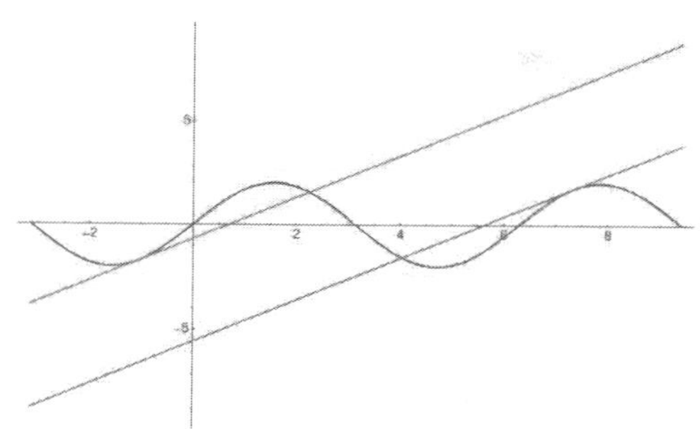

함수 $y=2\sin x$의 도함수는 $y'=2\cos x$이므로, 구하려는 접하는 점은 $\left(-\frac{\pi}{3},\ -\sqrt{3}\right)$과 $\left(\frac{7\pi}{3},\ \sqrt{3}\right)$이다. 따라서 구하려는 t의 범위는 $\sqrt{3}-\frac{\pi}{3}<t<\frac{7\pi}{3}-\sqrt{3}$이다.

(2−2)

(a) $0\le t\le 2\pi$일 때 $(g(t),\ 2\sin g(t))$는 두 곡선 $y=2\sin x$와 $y=x-t$의 교점이다. $g(0)$의 값이 될 수 있는 것은 $2\sin x=x$인 x의 값으로 각각 음수, 0, 양수인 세 개의 실수이다. 그런데, (2−1)의 결과에서 $\sqrt{3}-\frac{\pi}{3}<t<\frac{7\pi}{3}-\sqrt{3}$일 때, 그래프의 개형을 보면 $g(t)$는 $\frac{\pi}{2}$보다 큰 양수 값을 가져야 한다.

만일 $g(0)\le 0$이었다면 사잇값 정리로부터 예를 들어 $g(t)=\frac{\pi}{2}$인 t의 값이 존재해야 하는데, $t>0$인 범위에서 직선 $y=x-t$와 곡선 $y=2\sin x$의 교점의 x좌표가 $\frac{\pi}{2}$가 될 수는 없다. 따라서 $g(0)$은 양수이어야 한다.

이때 $2\sin\left(\frac{\pi}{2}\right)=2>\frac{\pi}{2}$이고 $2\sin(2)<2$이므로, $1<\frac{\pi}{2}<g(0)<2$이고, 따라서 $k=1$이다.

(다른 방법: $2\sin\left(\frac{5\pi}{8}\right)=\sqrt{2-2\cos\left(\frac{5\pi}{4}\right)}=\sqrt{2+\sqrt{2}}<\frac{15}{8}$이다. 마지막 부등식은 양변을 제곱하면

$2+\sqrt{2}<\frac{225}{64}$ 즉, $\sqrt{2}<\frac{97}{64}$임을 보이면 되는데, $1.5=\frac{96}{64}<\frac{97}{64}$이고, $2<1.5^2=2.25$이므로 성립한다.

따라서 $2\sin\left(\frac{5\pi}{8}\right)<\frac{5\pi}{8}$이므로, $g(0)<\frac{5\pi}{8}<2$이다.)

(b) $(g(t),\ 2\sin g(t))$는 두 곡선 $y=2\sin x$와 $y=x-at$의 교점이다. $0\le t<2\pi$이면, $0\le at<2\pi a$이다.

$2\pi a$가 직선 $y=x-2\pi a$가 곡선 $y=2\sin(x)$에서 $x=\frac{5\pi}{3}$에서 접하게 하는 $2\pi a$의 값인

$\frac{5\pi}{3}+\sqrt{3}$**보다 작거나 같으면, 즉** $\alpha \le \frac{5}{6}+\frac{\sqrt{3}}{2\pi}$**이면** $g(t)$**는** $\frac{\pi}{2}< g(t) < \frac{5}{3}\pi$**범위에서 연속함수로 정의할 수 있다. 이는 그래프의 개형으로부터 직관적으로 설명된다.**

$\alpha > \frac{5}{6}+\frac{\sqrt{3}}{2\pi}$**이라면, 그래프의 개형과 사잇값 정리로부터** $\alpha t < \frac{7\pi}{3}-\sqrt{3}$**인 경우** $g(t) < 2\pi$**이고** $\alpha t > \frac{5\pi}{3}+\sqrt{3}$**인 경우** $g(t) > 2\pi$**이어야 하는데,** $g(t)$**가** $y=2\sin x$**와** $y=x-\alpha t$**의 교점의** x**좌표가 되도록 연속적으로 만들 방법이 없다. 그러므로 조건을 만족하는** α**의 최댓값은** $\frac{5}{6}+\frac{\sqrt{3}}{2\pi}$**이다.**

[참고 1] 실제로 $\alpha=\frac{5}{6}+\frac{\sqrt{3}}{2\pi}$, $g(t)$**는** $0 \le t < 2\pi$**일 때,** $\frac{\pi}{2}< g(t) < \frac{5}{3}\pi$**이고**

$2\sin(g(t))=g(t)-\alpha t$**가 되도록 잡았을 때** $g(t)$**가 주어진 구간에서 연속이라는 사실은 다음과 같이 엄밀하게 증명할 수 있다.**

a**와** t**를** $0 \le a,\ t < 2\pi$**인 임의의 두 실수 (단,** $t \ne a$**)라고 하면,**

$$2\sin g(t)=g(t)-\alpha t,\ 2\sin g(a)=g(a)-\alpha a$$

이므로

$$g(t)-g(a)-2(\sin g(t)-\sin g(a))=\alpha(t-a)$$

이고, 평균값의 정리에 의해

$$2\sin g(t)-2\sin g(a)=2\cos x((g(t)-g(a))$$

인 x**(**x**는** $g(a),\ g(t)$**)사이의 실수)가 존재한다.**

$\cos x < \frac{1}{2}$**이므로,** $g(t)=g(a)+\frac{\alpha}{1+2\cos x}(t-a)$ (x는 $g(a),\ g(t)$)**사이의 실수)이다. 따라서**

$\lim_{t\to a} g(t)=g(a)+\frac{\alpha}{1+2\cos a}\lim_{t\to a}(t-a)=g(a)$**이다.**

[참고 2] $\alpha > \frac{5}{6}+\frac{\sqrt{3}}{2\pi}$**이라면,** $g\left(\left(\frac{5\pi}{3}+\sqrt{3}\right)/\alpha\right)$**은 두 곡선** $y=2\sin x$**와** $y=x-\left(\frac{5\pi}{3}+\sqrt{3}\right)$**의 교점의** x**좌표이고, 각각** 2π**보다 작거나 큰 두 개의 실수값 중의 하나이다. (a)에서와 같은 방법으로 사잇값 정리에 의하여** $g\left(\left(\frac{5\pi}{3}+\sqrt{3}\right)/\alpha\right) < 2\pi$**인 경우 모순이므로**

$$g\left(\left(\frac{5\pi}{3}+\sqrt{3}\right)/\alpha\right) > 2\pi$$

이다. $g(t)$**의 연속성에 의해** $t_0 < \left(\frac{5\pi}{6}+\sqrt{3}\right)/\alpha$**이고,** t**가 구간** $\left[t_0,\ \left(\frac{5}{6}+\frac{\sqrt{3}}{2\pi}\right)/\alpha\right]$**에 속할 때** $g(t) > 2\pi$**인** t_0**값이 존재한다.**

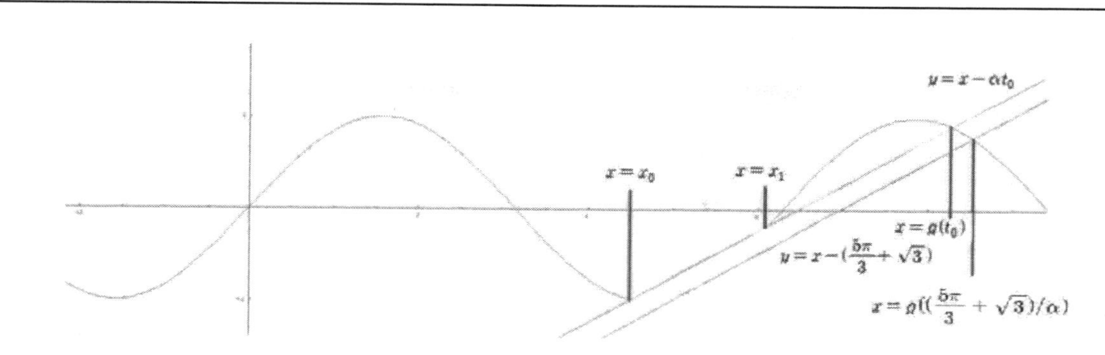

그렇게 되면, 함수 $g(t)$ $(0 \le t < 2\pi)$의 치역에서 제외되는 구간 $(x_0,\ x_1)$ $(\pi < x_0 < x_1 < 2\pi)$이 존재하므로, 사잇값 정리에 의해 $g(t)$의 연속성에 모순이다.

[별해]

(2−1)

$f(x)=x-2\sin x$**의 미분계수** $f'(x)=1-2\cos x$**가** 0**이 되는 점** $x=-\dfrac{\pi}{3},\ \dfrac{\pi}{3},\ \dfrac{5\pi}{3},\ \dfrac{7\pi}{3}$ **중에서** $x=-\dfrac{\pi}{3}$**와** $x=\dfrac{7\pi}{3}$**에서의 함숫값 사이에** t**가 있을 때 방정식** $t=x-2\sin x$**가 해를 1개 갖는다.**

$f\left(-\dfrac{\pi}{3}\right)=\sqrt{3}-\dfrac{\pi}{3},\quad f\left(\dfrac{7\pi}{3}\right)=\dfrac{7\pi}{3}-\sqrt{3}$ **이므로, 구하려는** t**의 범위는**

$$\sqrt{3}-\frac{\pi}{3}<t<\frac{7\pi}{3}-\sqrt{3}$$

이다.

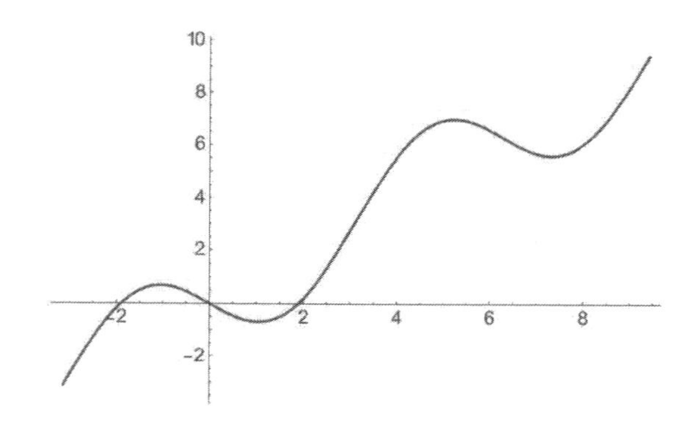

(2−2)

(a) $f(x)=x-2\sin x$**라고 하면 조건에서** $f(g(t))=t$**이고** $g(t)$**는** $[0,\ 2\pi)$**에서 연속이다. 조건의 등식이 성립할 필요충분조건은** $y=g(x)$**의 그래프가** $y=f(x)$**의 그래프를** $y=x$**에 대칭이동시킨 곡선** $x=f(y)$**(위 그림)의 부분집합이 되는 것이다.** $y=g(x)$**는** $[0,\ \pi)$**에서 연속함수가 되어야 하므로,** $g(0)>0$**이고, 사잇값 정리를 이용하여** $g(0)$**의 정수부분이 1임을 확인할 수 있다.**

(b) $f(x)=\dfrac{x-2\sin x}{\alpha}$**라고 하면** $g(x)$**는** $[0,\ 2\pi)$**에서 연속함수여야 하므로,** $x=f(y)$**의 그래프**

에 접하는 직선이 y축에 평행이 되도록 하는 y값 $y=\frac{5\pi}{3}$을 갖는 $x=f(y)$위의 점의 x좌표 가 2π가 될 때 α가 최대가 된다. 즉, α가 최대일 때 $f\left(\frac{5\pi}{3}\right)=\frac{\frac{5\pi}{3}-\sqrt{3}}{\alpha}=2\pi$이고, $\alpha=\frac{5}{6}+\frac{\sqrt{3}}{2\pi}$ 이다.

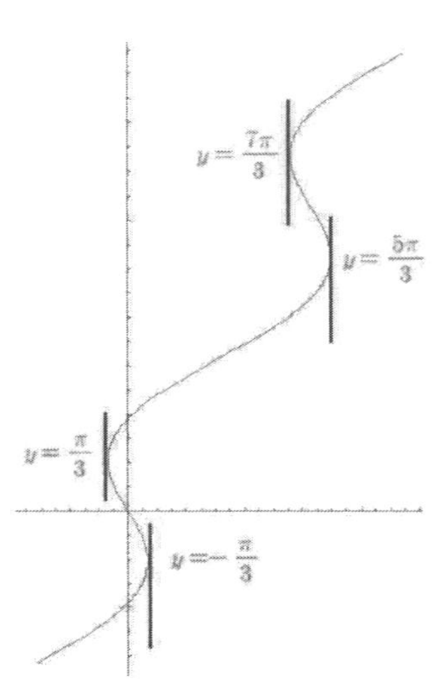

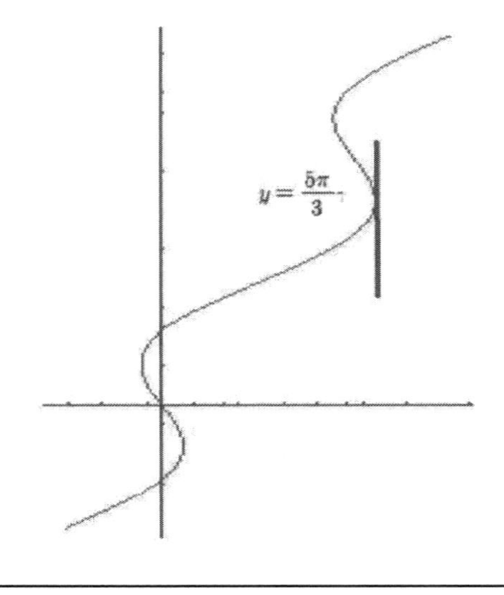

[문제 3] 다음 제시문을 읽고 물음에 답하시오.

(가) 닫힌구간 $[a, b]$에서 연속인 함수 $f(x)$에 대하여

$$\frac{d}{dx}\int_a^x f(t)dt=f(x) \quad (a<x<b)$$

가 성립한다. 그러므로 $a<c<b$일 때

$$\lim_{x\to c}\frac{1}{x-c}\int_c^x f(t)dt=f(c)$$

가 성립한다.

(나) 0을 포함하는 열린구간 (a, b)에서 두 번 미분가능한 함수 $g(x)$에 대하여

(i) 열린구간 $(0, b)$에서 $g''(x)<0$이고 $g(0)=g'(0)=0$이면 열린구간 $(0, b)$에서 $g(x)<0$이다.

(ii) 열린구간 $(a, 0)$에서 $g''(x)<0$이고 $g(0)=g'(0)=0$이면 열린구간 $(a, 0)$에서 $g(x)<0$이다.

※ 실수 전체의 집합에서 두 번 미분가능한 함수 $f(x)$는 모든 실수 x에 대하여

$$\int_0^x f(t)dt\le\frac{xf(x)}{2}$$

를 만족한다.

(3-1) 함수 $g(x) = \dfrac{xf(x)}{2} - \int_0^x f(t)dt$의 이계도함수 $g''(x)$를 $f(x)$를 이용하여 표현하시오.

(3-2) $f(0)$의 값을 구하시오.

(3-3) 함수 $f(x)$가 $f(x) = (x^2 + px + q)e^x$으로 주어질 때, 상수 p, q의 값을 구하시오.

(3-1)

제시문 (가)의 미분과 적분과의 관계를 이용하면

$$g'(x) = \frac{f(x) + xf'(x)}{2} - f(x) = \frac{-f(x) + xf'(x)}{2}$$

이다. 그러므로 $g''(x) = \dfrac{xf''(x)}{2}$**이다.**

(3-2)

$x > 0$**이면**

$\dfrac{1}{x}\int_0^x f(t)dt \le \dfrac{f(x)}{2}$**이므로**

$$f(0) = \lim_{x \to 0+} \frac{1}{x}\int_0^x f(t)dt \le \lim_{x \to 0+} \frac{f(x)}{2} = \frac{f(0)}{2}$$

이고 $f(0) \le 0$**이다.**

$x < 0$**이면**

$\dfrac{1}{x}\int_0^x f(t)dt \ge \dfrac{f(x)}{2}$**이므로**

$$f(0) = \lim_{x \to 0-} \frac{1}{x}\int_0^x f(t)dt \ge \lim_{x \to 0-} \frac{f(x)}{2} = \frac{f(0)}{2}$$

이고 $f(0) \ge 0$**이다. 따라서** $f(0) = 0$**이다.**

(3-3)

$f(0) = 0$**이므로** $q = 0$**이다. 그러므로**

$$f'(x) = (x^2 + (p+2)x + p)e^x, \quad f''(x) = (x^2 + (p+4)x + 2p + 2)e^x$$

이다.

만약 $f''(0) < 0$**이면** 0**을 포함하는 어떤 구간** (a, b)**에서** $f''(x) < 0$**이다.**

$1)$, $2)$**의 결과에 의해** $g(0) = g'(0) = 0$**이고 구간** $(0, b)$**에서** $g''(x) < 0$**이므로 제시문 (나)를 적용하면 구간** $(0, b)$**에서** $g(x) < 0$**이다. 따라서 주어진 조건에 모순이다.**

만약 $f''(0) > 0$**이면** 0**을 포함하는 어떤 구간** (a, b)**에서** $f''(x) > 0$**이다.**

$1)$, $2)$**의 결과에 의해** $g(0) = g'(0) = 0$**이고 구간** $(a, 0)$**에서** $g''(x) < 0$**이므로 제시문 (나)로부터 구간** $(a, 0)$**에서** $g(x) < 0$**이다. 따라서 주어진 조건에 모순이다.**

따라서 $f''(0) = 0$**이고** $p = -1$**이다.**

위에서 구한 $f(x)=(x^2-x)e^x$는 $f''(x)=(x^2+3x)e^x$을 만족한다. 그러므로

$$g''(x)=\frac{1}{2}(x^3+3x^2)e^x$$

이고

$$g'(x)=\frac{1}{2}x^3e^x$$

이다. 따라서 $x>0$일 때 $g'(x)>0$이고 $x<0$일 때 $g'(x)<0$이므로 $g(x)\geq g(0)=0$이다.
따라서 $f(x)$은 주어진 조건을 만족한다.
(혹은, 구간 $(0,\ \infty)$에서 $f''(x)>0$이므로 $-g(x)$에 제시문 (나)를 적용하면 구간 $(0,\ \infty)$에서 $-g(x)<0$이다. $x<0$일 때 원점과 점 $(x,\ f(x))$를 잇는 선분은 $y=f(x)$의 그래프의 아래쪽에 있다. 즉, $x\leq t\leq 0$일 때 $f(t)\geq\dfrac{f(x)}{x}t$이다. 그러므로

$$\int_x^0 f(t)dt>\int_x^0\frac{f(x)}{x}tdt=-\frac{xf(x)}{2}$$

이다. 즉, $x<0$일 때 $g(x)>0$이다. 따라서 $f(x)$은 주어진 조건을 만족한다.)

12. 2021학년도 인하대 모의 논술

[문제 1] (30점) 다음 제시문을 읽고 물음에 답하시오.

(가) (점과 직선 사이의 거리) 점 $(x_1,\ y_1)$과 직선 $ax+by+c=0$ 사이의 거리는

$$\frac{|ax_1+by_1+c|}{\sqrt{a^2+b^2}}$$

(나) (접선의 방정식] 함수 $f(x)$가 $x=a$에서 미분가능할 때, 곡선 $y=f(x)$ 위의 점 P $(a,\ f(a))$에서의 접선의 방정식은

$$y-f(a)=f'(a)(x-a)$$

(다) (합성함수의 미분법) 미분가능한 두 함수 $y=f(u)$, $u=g(x)$에 대하여 합성함수 $y=f(g(x))$의 도함수는

$$\frac{dy}{dx}=\frac{dy}{du}\times\frac{du}{dx}\ \text{또는}\ \{f(g(x))\}'=f'(g(x))g'(x)$$

※ 아래 그림과 같이 곡선 $y=e^{-x}$ 위의 점 $\mathrm{P}(t,\ e^{-t})$에서 접선 l이 x축과 만나는 점을 T라 하고 P에서 x축에 내린 수선의 발을 Q라고 하자. 이때 P를 지나고 x축과 l에 동시에 접하는 원 C의 중심을 F, 반지름을 $r(t)$라 하고 Q에서 접선 l까지의 거리를 $d(t)$라 하자.

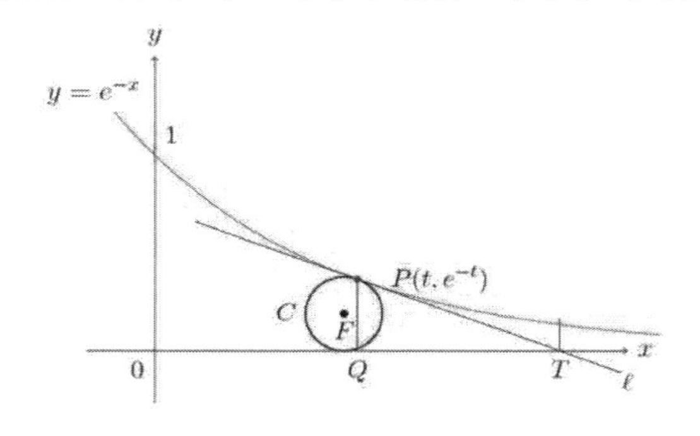

(1-1) $r(a)d(a)=1$을 만족하는 a의 값을 구하시오. [10점]

(1-2) 실수 전체의 집합에서 도함수가 연속인 함수 $f(x)$가

$$f(x^3)=x^2\left(r(x)+\frac{1}{d(x)}\right)\sin(\pi x)$$

를 만족할 때, $f'(0)$의 값을 구하시오. [10점]

(1-3) 점 T를 지나고 y축에 평행한 직선, 선분 PT, 곡선 $y=e^{-x}$으로 둘러싸인 영역의 넓이를 $S(t)$, 삼각형 PFT의 넓이를 $A(t)$이라 할 때, $\lim_{t\to\infty}\frac{A(t)}{S(t)}$의 값을 구하시오. [10점]

(1−1)

제시문 (나)에 의해 P에서의 접선의 방정식이 $y=-e^{-t}(x-t)+e^{-t}$이므로 T의 좌표는 $(t+1,\ 0)$이다. 원 C의 중심 F의 좌표를 $(x_t,\ y_t)$라 하면 $x_t,\ y_t$는 다음과 같이 구할 수 있다.

(i) F가 l과 수직이고 P를 지나는 직선위에 있으므로 $y_t=e^t(x_t-t)+e^{-t}$이다.

(ii) T에서 원 C의 두 접점까지의 거리가 같으므로 $t+1-x_t=\sqrt{1+e^{-2t}}$이다.

그러므로 $x_t=t+1-\sqrt{1+e^{-2t}}$, $r(t)=y_t=e^t+e^{-t}-e^t\sqrt{1+e^{-2t}}=e^t+e^{-t}-\sqrt{1+e^{2t}}$이고 제시문 (가)에 의해 Q에서 접선 $y=-e^{-t}(x-t)+e^{-t}$까지의 거리 $d(t)=\frac{1}{\sqrt{1+e^{2t}}}$이다.

따라서

$$r(a)d(a)=1 \Rightarrow e^a+e^{-a}-\sqrt{1+e^{2a}}=\sqrt{1+e^{2a}} \Rightarrow e^a+e^{-a}=2\sqrt{1+e^{2a}}$$

$u=e^a$로 치환하고 양변을 제곱하여 정리하면 $(u^2+1)(3u^2-1)=0$이고 $u>0$이므로 $u=\frac{1}{\sqrt{3}}$이다. 따라서, $a=-\frac{1}{2}\ln 3$이다.

(1−2)

$r(x)+\frac{1}{d(x)}=e^x+e^{-x}$**이고 양변을 미분하면**

$$\frac{d}{dx}f(x^3)=\frac{d}{dx}\left\{x^2\left(r(x)+\frac{1}{d(x)}\right)\sin(\pi x)\right\}=\frac{d}{dx}\{x^2(e^x+e^{-x})\sin(\pi x)\}$$

이고 제시문 (다)에 의해

$$3x^2f'(x^3)=2x(e^x+e^{-x})\sin(\pi x)+x^2(e^x-e^{-x})\sin(\pi x)+\pi x^2(e^x+e^{-x})\cos(\pi x)$$

이다. 따라서 $x\neq 0$일 때

$$f'(x^3)=\frac{2(e^x+e^{-x})}{3}\frac{\sin(\pi x)}{x}+\frac{e^x-e^{-x}}{3}\sin(\pi x)+\frac{\pi}{3}(e^x+e^{-x})\cos(\pi x)$$

이고 $f'(x)$가 $x=0$에서 연속이므로 $f'(0)=\lim_{x\to 0}f'(x^3)=\frac{4}{3}\pi+0+\frac{2}{3}\pi=2\pi$이다.

(1−3)

T의 좌표가 $(t+1,\ 0)$이고 삼각형 PQT의 넓이가 $\frac{1}{2}e^{-t}$이므로

$$S(t)=\int_t^{t+1} e^{-x}dx-\frac{1}{2}e^{-t}=\left[-e^{-x}\right]_t^{t+1}-\frac{1}{2}e^{-t}=e^{-t}\left(\frac{1}{2}-\frac{1}{e}\right)=\frac{e-2}{2e}e^{-t}$$

이다. 한편 삼각형 PFT의 넓이 $A(t)=\frac{1}{2}\sqrt{1+e^{-2t}}\left(e^t+e^{-t}-\sqrt{1+e^{2t}}\right)$이다.

따라서

$$\begin{aligned}\lim_{t\to\infty}\frac{A(t)}{S(t)}&=\frac{e}{e-2}\lim_{t\to\infty}\frac{\sqrt{1+e^{-2t}}\left(e^t+e^{-t}-\sqrt{1+e^{2t}}\right)}{e^{-t}}\\&=\frac{e}{e-2}\lim_{t\to\infty}\frac{(1+e^{2t})\left(\sqrt{1+e^{2t}}-e^t\right)}{e^t}\\&=\frac{e}{e-2}\lim_{t\to\infty}\frac{1+e^{2t}}{e^t\left(\sqrt{1+e^{2t}}+e^t\right)}\\&=\frac{e}{e-2}\lim_{t\to\infty}\frac{1+e^{2t}}{e^t\sqrt{1+e^{2t}}+e^{2t}}\\&=\frac{e}{e-2}\lim_{t\to\infty}\frac{\frac{1}{e^{2t}}+1}{\sqrt{\frac{1}{e^{2t}}+1}+1}\\&=\frac{e}{2(e-2)}\end{aligned}$$

[문제 2] (35점) 다음 제시문을 읽고 물음에 답하시오.

(가) 닫힌구간 $[a, b]$에서 함수 $f(x)$가 $c\in[a, b]$인 어떤 c와 $x\in[a, b]$를 만족하는 모든 x에 대하여 부등식 $f(x)\le f(c)$를 만족하면, 이 구간에서 함수 $f(x)$는 최댓값 $f(c)$를 갖는다.
역으로 닫힌구간 $[a, b]$에서 함수 $f(x)$의 최댓값이 $f(c)$ $(c\in[a, b])$라고 하면, $x\in[a, b]$인 모든 x에 대하여 부등식 $f(x)\le f(c)$이 성립한다.

(나) [최대최소 정리] 함수 $f(x)$가 닫힌구간 $[a, b]$에서 연속이면, $f(x)$는 이 구간에서 반드시 최댓값과 최솟값을 갖는다.

(2-1) $f(x)=x^4-2x^2$일 때, 닫힌구간 $[a, b]$의 부분집합

$$\{c\in[a, b]\mid \text{모든 } x\in[a, b] \text{ 에 대하여, } f(c)\ge f(x)\}$$

의 원소의 개수가 3이다. a, b의 값을 구하시오. (10점)

(2-2) $f(x)=\sin(x^2)$에 대하여 $\sqrt{2\pi n}$을 포함하는 닫힌구간 $[a, b]$ 중에서 부분집합

$$\{c\in[a, b]\mid \text{모든 } x\in[a, b] \text{ 에 대하여, } f(c)\ge f(x)\}$$

의 원소의 개수가 3이고 $b-a$의 값이 최소인 것을 $[a_n, b_n]$이라고 하자. (단, $n=1, 2, \cdots$)
$b_n - a_n < \frac{\sqrt{\pi}}{5}$인 가장 작은 자연수 n의 값을 구하시오. (10점)

(2-3) 양수 α에 대하여 함수 $g(x)$는 다음 조건을 만족한다.

(i) $g(x)$는 닫힌구간 $[0, 1]$에서 연속인 함수이다.
(ii) 모든 $x \in [0, 1]$에 대하여 $0 \le g(x) \le 1$이다.
(iii) 모든 $x \in [0, 1]$와 모든 $t \in [0, 1]$에 대하여 $\sin(\alpha x + g(x)) \ge sin(\alpha x + t)$이다.

(a) $\alpha = 2$일 때 $g\left(\frac{\pi}{4}\right)$의 값을 구하시오. (5점)

(b) 위 조건을 만족하는 함수 $g(x)$가 존재하도록 하는 양수 α의 값 중에서 가장 큰 값을 구하시오. (10점)

(2−1)
$f'(x) = 4x(x-1)(x+1)$**이므로,** $f(x)$**는** $x=0$**에서 극댓값** 0, $x=\pm 1$**에서 극솟값** -1**을 갖고, 함수** $f(x)$**의 그래프는** y**축에 대하여 대칭이다.**
$f(x) - f(0) = x^2(x^2-2)$**이므로,** $f(x) = f(0)$**의** 0**이 아닌 근은** $\pm\sqrt{2}$ **이다.**
따라서 닫힌구간 $[a, b]$**는** $[-\sqrt{2}, \sqrt{2}]$**와 같다.**

(2−2)
$f(x)$**가 최댓값이 되도록 하는 양수** x**의 값을 작은 순서대로** $x_1, x_2, \cdots$**라고 하면,**
$x_{n+1} - x_n$**의 크기는** n**이 커질수록 작아지므로,** $a_n = \sqrt{2\pi n - \frac{3}{2}\pi}$, $b_n = \sqrt{2\pi n + \frac{5}{2}\pi}$ **이거나**
$a_n = \sqrt{2\pi n}$, $b_n = \sqrt{2\pi n + \frac{9}{2}\pi}$ **이어야 한다.**
부등식 $\sqrt{2\pi n + \frac{5}{2}\pi} - \sqrt{2\pi n - \frac{3}{2}\pi} < \frac{\sqrt{\pi}}{5}$**은** $\sqrt{2n+2.5} + \sqrt{2n-1.5} > 20$**과 동치이다.**
$n=50$**이면,** $\sqrt{102.5} + \sqrt{98.5} > (10+0.1) + (10-0.1) = 20$**이고,**
$n=49$**이면,** $\sqrt{100.5} + \sqrt{96.5} < (10+0.1) + (10-0.1) = 20$**이므로**
$n=50$**이 조건을 만족한다.**
$\sqrt{2\pi n + \frac{9}{2}\pi} - \sqrt{2\pi n} < \frac{\sqrt{\pi}}{5}$**는** $\sqrt{2n+4.5} + \sqrt{2n} > 22.5$**와 동치이나** $n \le 50$**일 때 성립하지 않으므로,** $n=50$**이 구하는 가장 작은 자연수이며**
이때 $a_n = \sqrt{2\pi n - \frac{3}{2}\pi}$, $b_n = \sqrt{2\pi n + \frac{5}{2}\pi}$ **이다.**

(2−3)
(a) 함수 $f(t) = \sin\left(t + 2\frac{\pi}{4}\right) = \sin\left(t + \frac{\pi}{2}\right)$**의 구간** $[0, 1]$**에서의** $t=0$**일 때 최댓값** $f\left(g\left(\frac{\pi}{4}\right)\right)$**를**

갖는다. 따라서 $g\left(\frac{\pi}{4}\right)=0$**이다.**

(b) $0 \le x \le 1$**일 때, 함수** $f(t)=\sin(t+\alpha x)$**의 구간** $[0,\ 1]$**에서의 최댓값** $f(g(x))$**는 함수** $h(t)=f(t-\alpha x)=\sin t$**의 구간** $[\alpha x,\ \alpha x+1]$**에서의 최댓값** $\sin(g(x)+\alpha x)$**와 같다.**

$\alpha x+1<\frac{\pi}{2}$**이면,** $g(x)+\alpha x=\alpha x+1$ **즉** $g(x)=1$.

$\alpha x \le \frac{\pi}{2} \le \alpha x+1$**이면,** $g(x)+\alpha x=\frac{\pi}{2}$ **즉** $g(x)=-\alpha x+\frac{\pi}{2}$.

$\frac{\pi}{2}<\alpha x<\frac{3}{2}\pi-\frac{1}{2}$**이면,** $g(x)+\alpha x=\alpha x$ **즉** $g(x)=0$.

그런데, $\alpha x=\frac{3}{2}\pi-\frac{1}{2}$**이면,** $g(x)+\alpha x=\frac{3}{2}\pi-\frac{1}{2}$ **또는** $g(x)+\alpha x=\frac{3}{2}\pi+\frac{1}{2}$, **즉** $g(x)=0$ **또는** 1**이고,**

$\frac{3}{2}\pi-\frac{1}{2}<\alpha x<2\pi$**이면,** $g(x)+\alpha x=\alpha x+1$ **즉** $g(x)=1$**이어야 한다.**

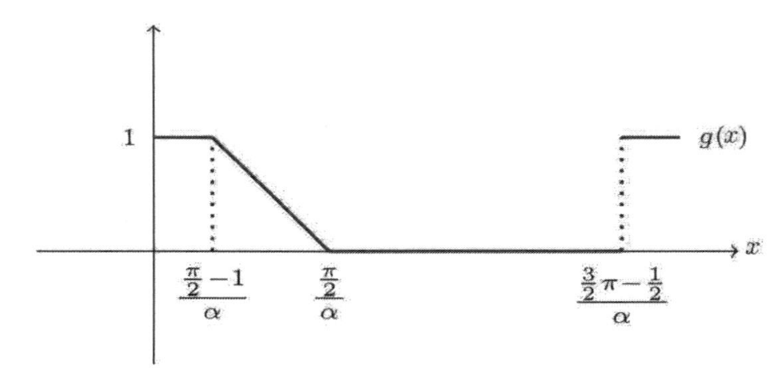

따라서 $g(x)$**가** $[0,\ 1]$**에서 연속이려면** $\alpha \le \frac{3}{2}\pi-\frac{1}{2}$**이어야 하므로** α**의 값 중에서 가장 큰 값은** $\frac{3}{2}\pi-\frac{1}{2}$**이다.**

[문제 3] (35점) 다음 제시문을 읽고 질문에 답하시오.

(가) 함수 $f(x)$가 모든 실수 x에 대하여 $f''(x) \ge 0$이고 어떤 실수 a에서 $f'(a)=0$이면 $x=a$에서 최솟값을 갖는다.

(나) (사잇값 정리) 함수 $f(x)$가 $[a, b]$에서 연속이고 $f(a) \ne f(b)$이라고 하자. $f(a)$와 $f(b)$ 사이의 임의의 k에 대하여 $f(c)=k$인 $c \in (a, b)$가 적어도 하나 존재한다.

(다) (합성함수의 미분법) 미분가능한 두 함수 $y=f(u)$, $u=g(x)$에 대하여 합성함수 $y=f(g(x))$의 도함수는

$$\frac{dy}{dx}=\frac{dy}{du}\times\frac{du}{dx} \text{ 또는 } \{f(g(x))\}'=f'(g(x))g'(x)$$

※ 실수 전체의 집합에서 두 번 미분가능한 함수 $f(x)$가 다음 조건을 만족한다.

(i) 모든 실수 x에 대하여 $2\{f(x)\}^2+\{f'(x)\}^2 \le f(x)f''(x)$이다. (ii) 곡선 $y=f(x)$의 $x=0$에서의 접선은 $y=1$이다.

(3-1) $f(x)>0$일 때,

$$\frac{d^2}{dx^2}\{\ln f(x)\} \ge 2$$

임을 보이시오. (10점)

(3-2) 함수 $g(x)=\{f(x)\}^2$는 모든 실수 x에 대하여 $g(x)\ge 1$임을 보이시오. (10점)

(3-3) 모든 실수 x에 대하여

$$f(x)\ge e^{x^2}$$

임을 보이시오. (15점)

(3－1)

제시문 (다)의 합성함수의 미분법에 의하여 $\frac{d}{dx}\{\ln f(x)\}=\frac{f'(x)}{f(x)}$**이고, 주어진 조건에 의해**

$$\frac{d^2}{dx^2}\{\ln f(x)\}=\frac{f''(x)f(x)-\{f'(x)\}^2}{\{f(x)\}^2}\ge 2$$

임을 알 수 있다.

(3－2)

$g'(x)=2f(x)f'(x)$**이고**

$$g''(x)=2\{f'(x)\}^2+2f(x)f''(x)\ge 4\{f'(x)\}^2+4\{f(x)\}^2\ge 0,\quad g(0)=1,\quad g'(0)=0$$

임을 알 수 있다. 제시문 (가)에 의하여 $g(x)\ge g(0)$**이다. 따라서 모든** x**에 대하여** $g(x)\ge 1$**이다.**

(3－3)

모든 x**에 대하여** $f(x)>0$**임을 보인다. 만약** $f(b)\le 0$**인** b**가 존재한다고 가정하면 제시문 (나)의 사잇값 정리에 의해** $f(c)=\frac{1}{2}$**인** c**가 0과** b**사이에 적어도 하나 존재한다. 그러면** $g(c)=\{f(c)\}^2=\frac{1}{4}$**이므로 (3－2)에 모순이다. 따라서 모든** x**에 대하여** $f(x)>0$**이다.**

함수 h**를**

$$h(x)=\ln f(x)-x^2$$

로 정의하자. 주어진 조건에 의해 $f(0)=1,\ f'(0)=0$**이므로, 함수** h**는**

$$h''(x)\ge 0,\quad h(0)=0,\quad h'(0)=0$$

을 만족한다. 제시문 (가)에 의하여 $h(x)\ge h(0)=0$**이므로, 이로부터** $f(x)\ge e^{x^2}$**임을 알 수 있다.**